W9-BON-703

Jiří Kratochvil

Brno nostalgické i ironické

Jiří Kratochvil

Brno nostalgické i ironické

Nakladatelství Petrov
Brno 2001

ISBN 80-7227-106-7

Fejetony i sloupky jsem vybíral z těch, co jsem psal v letech 1990-2001 pro Literární noviny, Český rozhlas, Moravské noviny, Hosta, Lidové noviny a Mladou frontu Dnes. Doplnil jsem jedním z někdejšího pražského samizdatového Obsahu a jedním z Hosta do domu šedesátých let. Knížku jsem rozdělil do tří částí: Brno nostalgické, Brno ironické, S městem za zády. Už jsem kdesi řekl, že nostalgie a ironie jsou jang-jin téhož vesmíru. V části S městem za zády je několik sloupků a fejetonů, jež se neváží k Brnu, obrací se k Brnu zády (tímto děkuji Stanislavu K. Neumannovi za zapůjčení názvu pro tento oddíl). Fejetony a sloupky píši často příběhové, jsou to vlastně mé nejkratší povídky, povídkové črty. Malé recenze na Štatl a na B. Fuchse jsou zas vlastně kříženci recenze a fejetonu.

J. K.

Brno nostalgické

Velká řeka s dvěma srdci

K velkým městům patří i velké řeky: nábřeží s lucernami a lavičkami, stáda mostů, zdymadla, zakotvené hausbóty, darebný křik racků, hučení jezů a houkání remorkérů, noční světla na potemnělé hladině, ranní rybáři a pach rybiny zavátý někdy až nad městskou křižovatku. Brno však není Paříž ani Vídeň ani Budapešť a dokonce ani Břeclav nebo Hodonín s pořádnými řekami a důstojnou navigací. Brno má jistěže řeky dvě, ale žádná z nich není řekou velkoměstskou. Jedna z nich se jen tak dotýká města při periferiích, ale ani druhá neprotéká středem, ale až za někdejšími městskými hradbami. A obě jsou přitom jak nějaké ženské bez boků a navíc ploché jak žehlicí prkna. A někdy jen tak přehrnují vodní sliz přes říční kameny.

A přesto. Řeka je cosi, co mě vždycky hluboce vzrušovalo. Řeka ve městě pak zvlášť. A řeka v Brně úplně nejvíc. A dvě řeky už nepředstavitelně moc. Každý den se snažím přejít v Brně aspoň jeden most, i kdybych si měl kvůli tomu nevímjak zajít. Brněnské řeky jsou něco jako má oblíbená zvířata a chodívám je hladit aspoň pohledem. A tu mě najednou napadlo: co vlastně znamenají ty dvě řeky — Svitava a Svratka — v mytologii města?

Poslyšte. Už když se pozastavíte nad jejich jmény a nad zvukovými asociacemi těch jmen, hned jak byste se dotkli čehosi základního. Svitava: svítání. Svratka: svraštění, svrákání, smrákání. Cítíte to vnitřní spříznění těch dvou názvů? Řeka ranní a večerní. Řeky jsou ostatně už v nejstarších mytologiích spojené jak se začátkem, tak s koncem, a takto protékají celými lidskými dějinami: nositelky života i rozsévačky smrti, plaví světlo i tmu a proudí tepnami radosti i vlásečnicemi úzkosti. Takže.

Na jedné straně temná řeka Svratka, jak ji známe i z Nezvalovy básně, a na druhé Svitava lišky Bystróšky, řeka ledňáčků a bílovických jezů, řeka plavící na jaře barevné květy a na podzim barevné listí. Svitava a Svratka. Řeky jako dvě sestry, každá tak jiná, a přece jako by se rozdvojily z jedné velké městské řeky, rozpojily do světla a do tmy, do dvou přadének a dvou cest. Nad jednou visí závoj z mlhy a komárů, nad druhou závoj smogu.

A mohl bych tu analogii vést ještě daleko a dlouho, protože, všimněte si, brutální vraždy se v Brně odehrávají na březích Svratky či poblíž jejích vod, a to, že Svratka vytéká z přehradní nádrže, ta její až příliš ochotná regulovatelnost, mluví o temné záludnosti živlu, který se pak nečekaně vyjeví jinde. Nechci samozřejmě tvrdit, že Svitava nese živou a Svratka zas mrtvou vodu. Tak hloupě jednoduché to zas není. I Svitava je řeka mrzačená dotekem s městským průmyslem a i při Svratce najdeme malebná a idylická zákoutí. Ale podobně přece i v našich životech: vše se vzájemně prostupuje, k nerozeznání zaměňuje a zástupně převléká. A to základní přesto trvá.

Troufám si dokonce po chvilce rozhovoru s někým anebo soustředěného nahlížení do tváří poznat ty, kdo v Brně bydlí blíž Svitavě než Svratce, a odlišit je od těch, kdo bydlí blíž Svratce než Svitavě. A brněnské obyvatelstvo si podle tohoto klíče dělím na svratečné a svitavné. A jak už mám za šedesát let života v Brně vykoumáno, lid od Svratky by měl vstupovat v manželský stav s lidem od Svitavy, aby se tak smísily oba živly, přirozeně a samozřejmě, jako se například nadechnutí vnitrozemských stepí spojí vzdušným koridorem s vydechnutím moří. A jen zkuste si někdy s vášnivou akribií porovnat vodu obou řek. Čímž nesvádím vás k tomu, abyste brali do pokusných lahviček vzorky a analyzovali je jak moč v laboratořích Jen mám vás k tomu, abyste šli od jedné řeky k druhé a tu nad Svitavou a tu nad Svrátkou prostáli co lou věčnost, anebo aspoň střepinku věčnosti. O Svratce jsem věděl mnohem dřív než o Svitavě. Jako kluk jsem bydlel v Žabovřeskách a odtud je to na dostřel praku do Jundrova, do Komína, do Bystrce, všude tam, kde Svratka vystavuje slunci našeho dětství svou vlídnější tvář. Ale taky si pamatuju, že někdy počátkem padesátých let Svitava zamrzla i po celém městském toku, běžíc tu jak bílá svatební stužka a my po ní na bruslích pod mosty a ve stínu vysokých činžáků, otlučených ještě docela čerstvými kulkami německých kulometů a ruských samopalů.

Velká řeka s dvěma srdci, tak nazýval kdysi Ernest Hemingway jednu ze svých povídek, totiž dvojpovídku, vyslovující jedno společné trauma. I dovolil jsem si ten název vypůjčit, abych tak pojmenoval svou traumatickou lásku ke dvěma řekám, které už dávno cítím jako jednu jedinou. A její dvě srdce tlukou každá na jednom konci mého města i mého života. A když se v Brně zastavíte v pravou chvíli a na pravém místě, smíte je také slyšet.

Brno nostalgické I

Literatura žije z nostalgie, tak jako smrtník obecný, Blaps mortisaga, žije, s prominutím, z hnijících látek. A hmyz tu nepřipomínám jen tak náhodně. Celé mé dětství mě obklopovaly velké ilustrované přírodopisy, české i německé, z nichž především pozůstávala knihovna mého otce, tlusté knihy, které jsem přenášel v náruči jak ministranti misály, a říši hmyzu, nejpočetnější ze všech říší, tu byla věnována nemalá pozornost. Čtyřikrát jsme se v Brně stěhovali a na všech čtyřech místech, kdykoliv jsem tam sestoupil do sklepa, vždycky už mě dole čekali smrtníci, ti matně se lesknoucí černí brouci, pohybující se s poťouchlou potrhlostí, před níž jsem zděšeně couval. Je konec války. Na tehdy ještě Lažanského náměstí stojí vedle kina Scala ožehlá fasáda se zčernalou sochou, kterou jako by někdo vyplivl z podsvětí. Přijíždíme ze Žabovřesk otevřeným vozem tramvaje na nedělní mši do chrámu svatého Jakuba a v tramvaji někdo prodává „utopence", má je v malých zavařovačkách naskládaných ve velké kožené kabele, prodírá se mezi lidmi a ti hned ochotně vytahují pořád ještě protektorátní peníze. Kdoví z jakého je to masa, ošklíbne se maminka štítivě. Určitě z nějaké zamřeliny, řekne otec. Na střeše školy na Jakubském náměstí je vápnem a neumělou rukou namalována pěticípá hvězda.

Minská ulice, spojující Tábor s Burianovým náměstím, se v poválečných letech jmenovala Montgomeryho třída a nepřetržitě vyzvánějící šalina se po ní plouhala za formanským povozem a zářily tady výkladní skříně hned vedle prkny zatlučených přízemních oken a naproti průchodu, kde se prodávala černá zabíjačková polívka, zas visela plechová reklama na kafe od Meinla. Montgomeryho třída, to bývala hodně barevná cikánská suknice a tady jsem viděl kolovrátkaře, jeptišky, dámy na koních, babky s nůšemi, obrovské perské kočky trůnící celé dny v oknech a nedaleko Šilhanova sanatoria, kde jsem se na začátku války narodil, jsem se kterýsi letní podvečer v pětačtyřicátém přinatrefil k obrovské rvačce. Strach mě tak ochromil, že jsem nebyl s to utéct, vmáčkl jsem se do jakéhosi vchodu a pokoušel se srazit na velikost náprstku, ve vzduchu křik, jako když na nože bere, však se taky na nože bralo, lesklo se tam zaráz takových, dovolte mi to ve vzpomínce spočítat, ano, takových osm čepelí. To mi bylo pět roků a o jedenáct let později jsem viděl na brněnské přehradě dost lacinou imitaci téhle rvačky kudlovačky, to když nekorunovaný král štatlu Bulis poprvé předváděl, že žralok zuby má jak nože.

Ale zpět do poválečných let. Ty prvé poválečné roky propadl můj otec spisovatelské činnosti. Už před válkou a během války psal skautské knížky a knížky z přírody, ale teprve teď tomu přišel pořádně na chuť. Živil se jako učitel, a když chtěl napsat knížku, dohodl se s někým, kdo za něho vzal ve škole hodiny, a nepotřeboval moc, stačily mu dva volné dny a během nich naťukal celou knížku a ještě se v tom čase stačil domluvit s ilustrátorem. Knížky mu nejčastěji vycházely v edici Dobrá četba nakladatelství Petrov, což bylo tehdy vydavatelství spojených brněnských tiskáren. Otec také vedl čilý společenský život. Ze spisovatelů nás navštěvoval Mirek Elpl, proslavený románem Marco Polo, dále básník a psycholog Robert Konečný a básník a otcův spolužák Oldřich Bárta, s nímž jsem se o dvacet roků později setkal v redakci Hosta do domu.

A vzpomínám si, že spisovatel Elpl přišel jednou v botách s „psími dečkami" a já na ně ohroměně zíral a spisovatel se usmál, sklonil ke mně a řekl: Takový boty nosil v Chicagu Al Capone a teď je zas v Brně nosím já. Dlouho jsem pak žil v přesvědčení, že spisovatel Elpl má techtle mechtle s gangsterama. Párkrát přijel z Prahy Jaroslav Foglar, ale s tím otec neseděl při kávě a koňáčku, nýbrž hned vyrazili na schůzku s brněnskými skautskými rovery. A taky si ještě vzpomínám, že v brněnské salesiánské oratoři – v té, co někdy na počátku padesátých let za podivných okolností vyhořela a byla obnovena až v devadesátých letech – tedy že v téhle oratoři se hrály otcovy divadelní hry pro mládež. V neděli se tam konala dopolední mše a odpoledne se jen otočily židle čelem vzad a na druhém konci sálu se rozhrnula opona a hrál se například otcův dobrodružný kus Tajemství faraonovy hrobky. Na scéně stála pyramida a ochotničtí herci do ní lezli po čtyřech jak do psí boudy a pronášeli při tom sáhodlouhé monology.

Ale mohl bych teď vyprávět i opravdu ošklivé historky z těch prvních poválečných roků, však nechce se mi do nich, nepatří do řádu nostalgie. A když jsme se na jaře 1949 stěhovali ze Žabovřesk do středu města, samozřejmě mě vůbec nenapadlo, že zároveň navždy opouštím nejkrásnější část svého života. A vždyť, kdo z nás tenkrát mohl vědět, čemu jdeme vstříc?

Z velkého činžovního domu na Běhounské ulici číslo tři, v němž jsme pak od jara 1949 do podzimu 1958 bydleli, se dalo půdou vystoupat na střechu a z ní se po dalších střechách opatrně přesunout až ke komínu vysokého domu uzavírajícího jižní část náměstí Svobody. Několikrát jsem to udělal a hleděl do propasti, v níž se hemžili lidi, auta, tramvaje. A vždycky když teď jdu po náměstí Svobody, zakloním hlavu a podívám se nahoru a vždycky ji tam vidím, malou klukovskou postavičku, která stojí vedle komínu a z té výšky vztahuje ruce nad město a přeskakujícím dětským hláskem křičí: „Brno, mé Brno, tvá sláva hvězd se bude dotýkat..." Když mi bylo devět deset roků, byl jsem patetický, sentimentální, hrůza vzpomínat.

Brno nostalgické II

O brněnských padesátých letech jsem hojně psal ve svých románech a povídkách, a tak si je teď dovolím přeskočit a jsme rázem na jejich konci, v čase, kdy se mi po ročním odkladu přece jenom podařilo dostat na filozofickou fakultu. A přestože od té doby uběhlo víc než čtyřicet roků, stále si uvědomuju, že Honza S. byl pro mě tím nejzajímavějším setkáním na fakultě, nejoslnivější intelekt, z nás všech tenkrát nejsvobodnější, a zároveň tak rozporuplný, že se vymyká jakékoliv charakteristice. Honza S. byl synem nějakého tehdejšího prominenta, nikdy o svém otci nemluvil, ale díky jemu si zřejmě mohl dovolit kdejakou výstřednost, jako princ Jindra ze Shakespearova Krále Jindřicha IV., princ, který si smí občas vyhodit z kopýtka. A ač by zákonitě měl být jen domýšlivým pitomcem, jak všichni synáčkové papalášů, bůh ví, že nebyl, a ač občas nevěděl co roupama, měl ale i chvíle, kdy se dobíral ryzí opravdovosti, o jaké se většině z nás ani nesnilo. Měl totiž cosi jako eschatologický talent či jak bych to dnes pojmenoval. Přinesl mi z knihovny svého otce romány Aldouse Huxleyho, ale taky Sartrovy Cesty k svobodě a Camusova Cizince, knihy vydané těsně před komunistickým převratem, a s potěšením pak sledoval, co se mnou dělá četba těchto u nás pak ještě dlouho nedostupných autorů, a bavil se tím, jak jsem těmi knihami zasažen. A přitom jsem na žádný pád nepatřil do společenství, které Honzu obklopovalo. Byl jsem totiž z nejchudších studentů na fakultě, a tak jsem si nikdy netroufl přiblížit k „jantarové komnatě" tehdejší brněnské high society, kde byl Honza jak doma, a nezúčastnil jsem se žádné z jeho fantastických pitek, tahu brněnskými knajpami, a jako syn emigranta jsem si nemohl dovolit žádnou výstřednost, kterou si mohl dopřát syn prominenta. S elegantní přesvědčivostí si hrál na Stavrogina z Dostojevského Běsů a ze sázky dokázal na ex vypít čertvíkolik piv a celý rok za ním z Prahy přijížděla jistá velice známá herečka, až jsem teď v pokušení vyslovit tady její jméno, a dřív než k nám stačil doputovat Felliniho film Sladký život, trumfl Honza jeho hrdinu Marcella, když se cestou z nějakého nočního klubu vykoupal s celým hejnem mediček v kašně Parnas. Byl obdařen spoustou talentů, nesmírně snadno se učil jazyky, v době, kdy jsme všichni mleli jen ruštinu, mluvil perfektně německy, francouzsky, anglicky, uměl hrát na jakýkoliv hudební nástroj, a kdo ho slyšel zpívat, cokoliv, od Robesonových spirituálů po italské operní árie, nepochyboval, že má božský dar. Většinou potkávám lidi, jejichž ctižádost daleko přesahuje jejich talent a s odřenýma ušima se derou, kam nepatří. U Honzy tomu bylo naopak. Kdyby jen trochu chtěl, mohl být mimořádným spisovatelem. Vzpomínám, jak jeho překlad Werfelovy básně nás na večírku fakultních autorů přikoval k židlím, doslova uhranul, celý měsíc se nemluvilo o ničem jiném. Četl jsem několik stránek z Honzova rozepsaného románu. Takový kdybych měl talent, říkal jsem si se závistí, jen špetku takovýho talentu! Proč ten román nedopíšeš? A pro koho, Kráťo? Pro pokolení těchhle blbců?

V prvém a druhém ročníku nechodil vůbec na přednášky a semináře, jen na zkoušky. V třetím járu už přestal chodit i na zkoušky a v šestém semestru letěl z fakulty. Ale bez problému se okamžitě dobře upíchl. Stal se správcem kina Moskva, kolegou spisovatele Pavla Švandy, který v tom čase správcoval v kině Družba. V šedesátých letech Honza zahajoval v Brně Filmové festivaly pracujících, jakési celostátní přehlídky filmové tvorby. Vídal jsem ho na pódiu letního kina, jeho vytáhlou, víc než dvoumetrovou postavu, vítal delegace s festivalovými herečkami a do zahajovacího proslovu vždycky propašoval nějakou ostrou aktuální narážku, na kterou publikum vděčně reagovalo. A to všechno tak dlouho, až jednou, když se za nepříznivého počasí zahájení přesunulo do kina Moskva, zeptal se kohosi v zákulisí, jestli už tam sedí ti debilové z městského výboru partaje, a nevšiml si přitom, že je už zapnutý mikrofon do hlediště. Okamžitě zas letěl a na dlouhý čas se kamsi propadl. Až po letech jsem se dozvěděl, že se propadl do luxusní vilky v Jiráskově čtvrti a do spořádaného manželství, kde žil parádně zašitý jako nějaký exilový monarcha, v péči své krásné ženy, která bděla i nad jeho protialkoholickou léčbou. Ale dlouho to prý nevydrželo. A ti, co se kdysi pokoušeli k Honzovi přitočit, včerejší smečka jeho lichometníků, teď opovržlivě mluvili o jeho „morální destrukci" a o „prašivině papalášských synáčků".

Potkal jsem se s Honzou na konci sedmdesátých let a pak ještě dvakrát v osmdesátých letech. Ale bylo to všechno už jen tristní. Jakže to stojí v Ginsbergově Kvílení o nejlepších hlavách naší generace? Nevyléčitelný alkoholik, který už neměl zájem něco s tím dělat. Dál hrál svou úlohu Stavrogina, ale to už s ní docela srostl a dotáhl ji až k pochmurné dokonalosti.

A teď už celých třináct čtrnáct roků jsem Honzu nepotkal, ani o něm neslyšel. A taky těch, co ho pamatují, rychle ubývá. Slyšíte, jak klisnička zapomnění už hrabe kopyty? A tohle je právě nostalgie, ten nezadržitelný propad do nepaměti. Anebo do bájí a do legend.

A tak si představuju, že někdy ke konci oomdesátých let Honza S. emigroval a žije teď kdesi na nějakém šťastném ostrově v Oceánii Pokud ještě existují nějaké šťastné ostrovy. Jeník Stavrogin mé generace.

Brno nostalgické III

Když jsem se poprvé setkal s Peterem Scherhauferem, nebyl to ještě Šery a v brněnském divadelním světě ho nikdo neznal. Psal se rok 1962, Peterovi bylo dvacet, hubený mladík, který si stále odhrnoval vlasy z očí, pomocný dělník v Královopolských strojírnách. Začalo to všechno tak, že z Ostravy přijel můj bratranec Mirek Hrdina s čerstvou zkušeností z Divadélka pod okapem a z jeho iniciativy jsme se dali dohromady ještě s mým bratrem, začínajícím fotografem, a v téhle rodinné trojici uspořádali konkurz na budoucí herce a režiséry. Ručně malované konkurzní plakátky jsme vylepili v centru Brna, na sloupy luceren, na ohrady a taky do dnes už neexistujícího podzemního záchodku pod dnes už neexistujícím Hříbkem na náměstí Svobody, a právě tam si Peter – zurče do asfaltovaného žlábku – přečetl jeden z našich plakátků. A mimochodem, ručně malované plakátky nám kromě Petera a adeptů herectví přihrály i nějaké ty trable, protože jsme na jejich vylepení neměli žádného povolení a samotný text byl natolik recesní, že nutně musel probudit pozornost bdělých a ostražitých. Ale hle, jaký čas byl ten rok 1962! Trable, které jsme si tak písemně objednali, se totiž personifikovaly do jednoho z adeptů herectví, který s námi měsíc pilně nacvičoval, než všechny pozval na večeři do Bellevue, a tam nám svěřil, že se s námi loučí, protože ho mezi nás po-

22

slali, jen aby zjistil, jestli nemáme protistátní úmysly. Takže estébáček, ale jak lidumilná mutace!

Ale zpět k Peterovi. Když přišel na konkurzní večer, představil se tím, že otevřel aktovku a vytáhl z ní do pytloviny zabalený základní kámen našeho divadla. A už během prvního večera jsme bezpečně poznali, že pokud jde o režiséra, máme vyhráno. Peter už tenkrát s neúhybnou jistotou věděl, že je stvořen pro divadlo a pro roli režiséra. A všechno, co znal a uměl, všechny své schopnosti, dovednosti, vědomosti a všechno, s čím se kdy setkal a co ho zaujalo a oslovilo, všechno už tenkrát nasměrovával do jediného bodu, který tudíž musel dřív nebo později vzplanout. A na tuhle Peterovu posedlost, na tu až umanutou ctižádost jsem už tenkrát hleděl s obrovským pochopením. Jak ten uměl cepovat mládenečky a dívenky, co se nám přihlásili do konkurzu, a jak na nich zkoušel u nás tehdy ještě naprosto neznámé praktiky orientálních divadel! A jak mu záleželo na každém, zdánlivě nicotném detailu, a někdy až groteskním způsobem! A vzpomínám si taky, že mě Peter pobavil tím, jak si zakládal na svém jméně, totiž na jeho vzdálené podobnosti se jménem Shakespearovým! Ovšem o existenci anglického dramatika Petera Shaffera jsme v té době ještě neměli ani šajnu.

Zatímco bratranec Mirek zajistil divadélku zázemí na brněnské přírodovědecké fakultě a staral se o všechny organizační nezbytnosti, Peter byl motorem našeho divadelního společenství, a to často motorem výbušným. Jeho zásluhou všechno běželo, sice jen naprázdno, zato znamenitě. Měli jsme totiž smůlu, že se nám nepodařilo najít žádný divadelní sál, všechny bývalé krámky, kvelby a kutlochy kolem centra města byly už zadány, obsazeny a zabydleny jinými divadélky, jejichž boom Brno právě prožívalo. A žádné z těch divadélek nechtělo s námi „fú-

23

zovat". A není divu, báli se Peterovy dominantní osobnosti. A tady se zas vyjevilo cosi, co je pro Brno dodnes charakteristické. Budoucí nejlepší režisér Provázku neměl tehdy šanci v žádném z etablovaných divadélek, kde se uplatnili jen průměrní a bezvýznamní. Napsal jsem pro nás kabaretní hru a přidal k ní jednoaktovku Slawomira Mrožka, autora, který se tenkrát u nás vůbec ještě nehrál, ale protože jsme nenašli sál a stále jen zkoušeli v klubu přírodovědecké fakulty, nakonec jsme všechno vzdali. A Peterova hvězdná hodina se tak o celé desetiletí odložila. O osm roků později, na jaře 1970, jsem si s Peterem dal schůzku v hospodě U Kozáků. A přišel už v roli zakázaného režiséra. Dlouhý, smolně černý kabát jak od vetešníka, ale v něm elegantní šála. Na každém gestu byla znát perfektní stylizace tragéda, Peter si i svůj život uměl režírovat s dokonalým smyslem pro detail. Právě ho vyhodili z divadla Večerní Brno za to, že tam v „krizovém období" režíroval Škutinovy Procesy, hru o politických procesech padesátých let. Vypili jsme dvě tři piva a řekli si podstatné. Juro, divadlo se nedá dělat do šuplete.

A bylo to až do devadesátých let mé poslední setkání s Peterem. Kdesi v jeho papírech zůstal fragment mé hry Colbert, kterou jsem na jeho přání psal a za změněných okolností už nedokončil. A když se pak v roce 1972 konečně začala Peterova hvězdná hodina, nebyl jsem už při tom. Znal jsem ho jen v časech, kdy ho nikdo neznal. Ta všivá léta jako jediným škrtnutím zipu všechno na dlouhý čas rozdělila. A když jsme se v devadesátých letech zase setkali, nepodařilo se nám už navázat. Oba jsme už byli jinde a jiní.

Brno nostalgické IV

Dva roky vojny a pak kantorská umístěnka mě odvedly do severovýchodních Čech, a když jsem se v roce 1966 vrátil, vyhládlý po svém milovaném městě, zúčastnil jsem se hned konkurzu brněnského rozhlasu na místo v Pantůčkově redakci humoru a satiry. V prvním kole jsem se propracoval na první místo, zásluhou groteskních povídek, jež mi otiskli v časopise Plamen, ale už v dalším kole mi byl zatržen tipec, aniž mi kdo vysvětlil proč. Ale protože to nebyla má první zkušenost, totiž zkušenost syna emigranta a synovce redaktora Svobodné Evropy, věděl jsem svoje. Leč rozhlas mi aspoň nabídl „cenu útěchy" – roční brigádu při inventarizaci rozhlasové knihovny. A tak jsem napochodoval do budovy původně postavené pro banku Union, do šestiposchoďového raně puristického železobetonového objektu o dvou kolmých křídlech a s dispozicí trojtraktu.

Byl to šťastný rok mezi regály, které nepamatovaly žádné koniášské čistky, takže tady byly knižní poklady, o jakých se mi ani nezdálo. Zde jsem například poprvé vzal do ruky román „Bel canto" Milady Součkové, aniž jsem ovšem tenkrát tušil, jak vzácnou knihou listuju. Na fakultě nám o exilové básnířce a prozaičce Součkové neřekli ani slovo.

Raně puristický skelet rozhlasu byl taky od sklepa po střechu napěchován těmi nejpozoruhodnějšími osobnostmi. Například hned při té střeše měl služební byt redaktor Antonín Přidal, tenkrát sotva jednatřicetiletý. Vyšla mu v tom roce právě básnická prvotina a v těsném sledu za ní i druhá básnická knížka, obě nadšeně uvítány literární kritikou, psal brilantní fejetony, překládal španělskou poezii, v časopise Světová literatura recenzoval a komentoval současnou americkou literaturu, byl autorem několika mimořádných rozhlasových cyklů, z nichž si už pamatuju jen „Shakespeara pro začátečníky", ale především napsal „Sudičky", snad nejkrásnější rozhlasovou hru, jakou jsem kdy slyšel, prostě rozhlasák par excellence, ale jinak tenkrát velice „studený čumák", takže jsem se ho nikdy neodvážil oslovit, ač byl v knihovně pečený vařený.

Ale brněnský rozhlas, to byl pro mě tenkrát hlavně přátelský a vstřícný Miroslav Skála, v té době proslulý hrami pro divadlo Večerní Brno, ale taky fantasticky oblíbeným rozhlasovým pořadem „Na shledanou v sobotu". Stále vidím jeho pracovnu, křesla u kulatého stolku a na něm Le Monde, a cože to tam ještě je, vázička s čerstvými květinami? Ale ten obrázek se mi ihned prostříhne jiným, a sice, jak Miroslava Skálu o deset let později potkávám na Cejlu, kde dělal dramaturga v loutkovém divadle poté, co ho vyhodili z rozhlasu, a já zas byl nedaleko odtud zaměstnán ve Štěrkovnách a pískovnách jako podnikový archivář. A tak jsme se potkávali na rohu Cejlu, pojmenovaném ovšem tenkrát po vrahovi doktorky Milady Horákové, stáli jsme tam a prováděli hloubkovou analýzu politické situace. Ale to předbíhám. Chtěl jsem říct, že tu udičku, která mě už navždy přitáhla k rozhlasovým žánrům, mi tenkrát nahodil Miroslav Skála a pro jeho pořady jsem psával své prvé rozhlasové fejetony a později rozhlasová pásma, to on první mi zavěsil na rameno rozhlasový magneťák, když mě poslal do Prahy pro rozhovor s Ivanem Vyskočilem. A když jsem nedávno viděl v televizi povídání s Williamem Styronem, vzpomněl jsem si okamžitě na pana Skálu. A to nejen pro slova o „viditelné temnotě", o té těžké endogenní depresi, která byla jak Styronovým, tak Skálovým zlým osudem, ale i pro tu zvláštní styronovskou, avšak zároveň skálovskou dikci, způsob mluvy, který mi ihned vybavil toho, jemuž přátelé říkali Peťula, neboť stojí psáno, ty jsi Petr, to jest skála. Ale nezapomínejme prosím, že šedesátá léta byla skutečně podivuhodným, paradoxním časem. V roce, kdy jsem pracoval v rozhlasové knihovně, vyšla zrovna Vaculíkova Sekyra a v interní rozhlasové edici i jeho odvážné rozhlasové pořady, a byl už napsán Kunderův Žert a připravoval se k vydání, ale zároveň, ano, představte si to, zároveň všechny rozhlasové pořady pořád ještě hlídal cenzor, který každý den po výpůjční době nakráčel do knihovny a pod paží kotouče a usadil se vzadu za regály, kde měl mašinku na přehrávání zítřejších pořadů, jímž měl dát své imprimatur anebo je zabavit. Tak takhle vy padají cenzoři, napadlo mě, když jsem ho uviděl poprvé a když mi bylo naznačeno, co je to za ptáka, a protože mi utkvěl, mohl bych ho teď popsat, od pečlivě zapnutého puntu po úřední pleš, byl to namoutěkotě jen obyčejnský ouředník. Vedoucí knihovny, pod níž jsem pracoval, odcházela obvykle o hodinku dřív, takže bylo na mně, abych zamkl knihovnu i s milým cenzorem a klíč odevzdal na vrátnici. Cenzor měl totiž svůj vlastní, který nikdy neodevzdával, protože tady ve skutečnosti jakoby vůbec nebyl. A tak to tenkrát bylo i s celou tou cenzurou: zároveň byla i nebyla. Tož bylo nebylo, milá děťátka, někdy se mi totiž taky stalo, že sotva jsem zamkl rozhlasového cenzora, potkal jsem cestou domů pana Oldřicha Bártu, někdejšího básníka a teď redaktora Hosta do domu, aňť právě nesl pod paží paklík rukopisů ku schválení časopisecké cenzuře, která tenkrát, jak mi svěřil, sídlila za kostelem svatého Tomáše, ukryta jak čertík v krabičce snad v budově Geodezie a kartografie. Hle, jak parádní, starosvětská idyla...

Od mé brigády v rozhlasové knihovně uběhlo čtvrtstoletí a já se v devadesátých letech vrátil, abych pár roků pobyl v literární redakci. Ale nepotkal jsem tady už nikoho z těch dávných časů. V tomtéž šestipatrovém železobetonovém skeletu o dvou kolmých křídlech a s dispozicí trojtraktu sídlilo už naprosto jiné rádio. A nic proti němu, naopak, našel jsem si zde nové přátele, ale přitom dovedu pochopit, proč se sem už nevrátil Antonín Přidal, už jediný žijící z té báječné a bájné rozhlasové posádky.

Brno nostalgické V

Někdy v roce 1971 ke mně doputoval vzkaz, že si básník Jan Skácel přeje setkat se Zdeňkem Kotrlým a se mnou, mladými autory z okruhu normalizátory zlikvidovaného Hosta do domu. Přijel jsem do Brna, kde jsem v té době už nebydlel, a setkání se uskutečnilo v bytě spisovatele Jana Trefulky. Sotva se Jan Skácel s námi pozdravil, oslovil Zdeňka a chtěl ho potěšit tím, že si pamatuje na jeho povídku Vrah holubů, publikovanou kdysi v Hostu do domu. Jenže autorem povídky, která básníka tak zaujala, jsem byl já, a když se to Skácel od Zdeňka dozvěděl, skorem nedůvěřivě se na mě podíval. Mé jméno sice držel v paměti, vždyť jmenovitě mě pozval, ale v životě mě neviděl, přestože jsem několik let pravidelně publikoval v časopise, jehož byl šéfredaktorem. Však nebyla to jeho chyba. To já se z jakéhosi ostychu osobním kontaktům se známými osobnostmi odedávna spíš vyhýbal. Neznám skoro nikoho z celebrit včerejška i dneška a má životní zkušenost se víže spíš k periferii skutečnosti, ba přímo k jejímu rubu, který je možná mým nejvlastnějším domovem. Ostatně, jsem přesvědčen o tom, že právě tam, na periferii a na odvrácené straně, je i domov příběhů. Je tedy nejvyšší čas zařadit sem nostalgickou vzpomínku i z tohoto světa.

Karlova ulice leží na pomezí tří brněnských čtvrtí, Židenic, Husovic a Maloměřic, a ještě dnes vypadá dost zanedbaně a periferně a autobusy městské dopravy tudy jen projíždějí, nestaví, dokonce jako by zde zrychlovaly. Má kamarádka Ema tady počátkem šedesátých let bydlela v otřesném a každým projíždějícím náklaďákem otřásaném pavlačáku. S Emou mě seznámil profesor Burian z brněnské filozofické fakulty, ano, právě ten, co pak koncem sedmdesátých let přednášel ruskou literaturu na pařížské Sorbonně, ale vrátil se odtud v zapečetěné rakvi a říkalo se, že byl double agentem, s kterým si KGB vyřídila účty. Tož o tom by měl jednou povědět někdo zasvěcený. Já se s profesorem Burianem znal ze semináře, kde jsem ho zaujal svou posedlostí Dostojevským a Andrejevem, a jednou mě pozval na mejdan k sobě do Židenic a tam jsem se potkal s Emou. Ema byla první lesbou mýho života. Milovala Vladěnku, což vůbec nebyla lesba, nýbrž překrásná děvka, na níž jsem mohl oči nechat. Ach, jakou krásu dává Bůh děvkám! Tak promiň, Emo, původně jsem chtěl povídat o tobě, ale teď už vidím, že to bude o té děvce Vladěnce.

Mužem Vladěnčiných snů byl bohatý Arab, který přijížděl o brněnských veletrzích. Chtěla svého arabského milence překvapit tím, že mu napíše milostný dopis arabsky. Už tenkrát jsem byl zkažený literaturou, a tak mě ihned napadlo, že za překlad takového dopisu bych mohl třeba dostat to, co dostal Isaak Babel v povídce Můj první honorář. I přiznal jsem se Vladěnce, že si jako vedlejší, tedy fakultativní obor dělám právě arabštinu. A vysvětlil jsem jí, že Arabové mají své vlastní písmo a že píšou zprava doleva a zezadu dopředu. Nevěřila, a tak jsem příští den přinesl učebnici arabštiny z knihovny svého otce, který rok před svou emigrací přednášel v Olomouci o cestovateli po arabských zemích Aloisi Musilovi. I teď mám tu učebnici tady před sebou, vyšla německy v roce 1936 v Jeruzalémě a napsal ji Elias N. Haddad, „Oberlehrer am Syrischen Waisenhaus". Když Vladěnka uviděla učebnici, posadila mě ke svému toaletnímu stolku v bytě na Francouzské ulici a celé odpoledne mi diktovala milostné kokotiny a já to větu po větě „překládal do arabštiny". Ale abych si usnadnil práci, přesvědčil jsem Vladěnku, že v arabštině každé písmeno obsahuje vždycky celou větu, ale i tak jsem každou chvíli zvedal ruku a dlouze ji protřepával, stižen písařskou křečí. Když jsme večer skončili, požádala mě, abych teď dopis zas přeložil zpátky do češtiny. Řekl jsem, že bych na to potřeboval zrovna tolik času, kolik jsme potřebovali k jeho napsání. Přikázala mi tedy, abych jí přeložil aspoň něco, a ukazovala namátkou na některá písmena v dopise a já ze sebe soukal jakési věty. Naslouchala mi okouzlena, jak krásný dopis napsala. Ale bohužel jsme nebyli v Babelově povídce, a tak jsem se žádného milostného honoráře nedočkal. Ani drobek z hostiny, co ji celé odpoledne tak vášnivě nabízela svému Arabovi. Ale stále jsem nechtěl uvěřit. Pořád jsem se nemohl k odchodu a hledal záminky, jak se ještě pozdržet. A pak jsem uviděl na poličce pod oknem knížku. Zvedl jsem ji a byla to Skácelova Hodina mezi psem a vlkem a otevřel jsem ji a našel tam básníkovo věnování, ale takové, že mi vzalo dech.

Ten večer v roce 1971 jsme si v bytě spisovatele Jana Trefulky povídali s Janem Skácelem o spoustě důležitých věcí, o nadcházejících nesvobodných volbách, o občanské statečnosti a taky o svědomí národa, ale ke své hanbě přiznávám, že jediné, po čem jsem v těch chvílích prahl, bylo vyslovit před básníkem Vladěnčino jméno. Samozřejmě jsem to neudělal. Pak jsme se rozloučili a já už Jana Skácela nikdy neviděl.

Ten večer v roce 1962 jsem se rozloučil s Vladěnkou s vědomím, že jakmile tenhle dopis dojde k adresátovi, už jí nesmím na oči. A taky jsem ji pak už nikdy neviděl.

A právě o tom je nostalgie. Nad mým Brnem visí kouř jak nad Odysseovou Ithakou, a když se pak rozplyne, vidím, polomrtvý steskem, že nic už není tak, jak pamatuju. A už nikdy nebude. Vždyť kde je Honza Stavrogin? A kde je Peter Scherhaufer? A kde Miroslav Skála? A kde Jan Skácel? Kde je lesba Ema a kde je ta děvka Vladěnka? A můj Bože, kde jsem já? Jsem tady vůbec ještě?

Byl jsem bezdomovcem

Je to už hodně dávná historie. Na počátku léta 1970 jsem přišel za hodně dramatických okolností o byt a krát ce poté taky o zaměstnání a z brněnského nakladatelství Blok jsem se dozvěděl, že moje knižní prvotina byla vyškrtnuta z edičního plánu. Rázem jsem se stal tím, čemu se tenkrát říkalo pochybná existence, a bez střechy nad hlavou a razítka zaměstnavatele už málem štvanou zvěří. Živě si vzpomínám, jak jsem za krásného červencového dne šel v Brně po Veveří a najednou jsem uslyšel zaskřípět brzdy, zvedl hlavu a uviděl hlídkový vůz, přirazil k chodníku a vyskočili dva csenbáci a jeden bral lidi zprava a druhý zleva, náruživě perlustrovali pokojné občánky. Otočil jsem se a spěchal opačným směrem, ale i tam zaskřípěly brzdy a proud lidí byl přeťat nahoře i dole, jako když někdo porcuje dlouhou žížalu. Tenkrát jsem měl štěstí, zázrakem jsem proklouzl, ale dole, u kina na Cihlářské, jsem se pak musel posadit na lavičku a srdce mi splašeně rumplovalo. Takové naprosto bezdůvodné razie byly tehdy v Brně na denním pořádku, jako když počišťovací vozy projíždějí ulicemi a zbavují město lidského odpadu. My bezdomovci jsme byli tenkrát škodná, určená když ne zrovna k odstřelu, tak aspoň do kriminálu. A taky si vzpomínám, jak tehdejší noviny (Rovnost, nebo večerník?) přinesly článek o tom, jak ochránci zákona ve dne v noci zbavují Brno obtížného lidského hmyzu.

Brno je mé rodné město, ke kterému zoufale tíhnu, a nechtěl jsem se nechat vyštvat. Dny se ještě daly při troše opatrnosti přežít bez úhony, ale noci byly stále šalebnější. Už po desáté večer se brněnské ulice vyprázdnily jak za stanného práva a prolézal jsem městem opatrně od rohu k rohu, jako kdybych byl nějaký diverzant nebo terorista, ale ve skutečnosti jsem byl jen bezpřístřešný hlupák, co se nechal připravit o byt a o jehož literární textíky už široko daleko nikdo nestál. Vyl bych vzteky na měsíc, ale ani to jsem si netroufal, abych nedal nějakému esenbákovi záminku zastřelit mě jak vzteklého psa. Na pomezí Žabovřesk a Králova Pole je dlouhá ulice a nebudete se na mě zlobit, když teď raděj její jméno nevyslovím. Tam totiž bydlela a stále ještě bydlí má studentská láska, provdaná v čase mého bezdomovectví za nějakého poštmistra. Věděl jsem, že zahrada jejího rodinného domku má vzadu nenápadná vrátka, kterými se vstupovalo rovnou do strání a luk. Když jsem s Janou chodíval, ta vrátka se nezamykala a tudy jsme vklouzávali do voňavých nocí, plných hvězd a cvrčků. Takže kteréhosi červencového večera roku 1970 jsem k těm vrátkům přišel z druhé strany, už jako bezdomovec a poběuda, a samozřejmě zjistil, že milá vrátka jsou teď na petlici. Ale nebyl zas takový problém je přelézt. A na zahradě jsem našel kůlnu, o níž jsem věděl, že je vybavena pohodlnou lavicí. Jednoposchoďový domek byl do této části zahrady obrácen takzvanou slepou stěnou, z níž na mě pomrkávala, rozžíhala se a zhasínala, jen okýnka záchodu a koupelny. Na nějaký čas jsem se usalašil v kůlně, ale přicházel jsem až s pozdní večerní hodinou a vytrácel se ještě před ranním šíráním. Jana a její poštmistr neměli tušení o mém noclehování, aspoň doufám.

Být bezdomovcem a zůstat přitom nenápadný je hodně obtížné. Měl jsem u kohosi uloženy své věci, naštosované ve skříni, a jak mi rychle chřadla peněženka, jaksi už nezbylo na čistírnu a prádelnu a ponožky děravěly a boty žralokovatěly. Věděl jsem, že moje brněnské dny jsou už sečteny, a tak jsem chodil po tom městě a cítil jsem se jak emigrant, který se loučí s vlastí, neboť jestli já mám vůbec nějakou vlast, tak jí není ani Česká republika, ani Morava, ale brněnské štatl.

Jednou ráno v druhé polovině srpna mě v té kůlně probudil chlad. Bylo už chvíli po svaté Anně a pár dnů před druhým výročím srpnové okupace. Po městě se říkalo, že k tomu výročí se čekají zvlášť mohutné esenbácké razie. Byl čas posbírat svých pět švestek. Ještě dva dny jsem váhal, nechtělo se mi z Brna. To město zaseklo do mě drápky a drželo si mě, a tak jsem je musel, drápek po drápku, hezky vypáčit. Půjčil jsem si od kamaráda kufr a odjel córákem do Šakvic, ubytoval se tam u příbuzných a nastoupil jako pomocný dělník v tamějších Hutních montážích. Ale to už je zase jiná historie.

Z pověstí brněnských

Jaké podmínky musí splnit historka nebo povídačka, aby mohla být prohlášena za pověst? Nuže, musí se vázat k nějakému konkrétnímu místu, vystačit si s velice jednoduchým, ale přitom poutavým dějem (takovým, jakému říkám „příběhový aforismus"), ale nesmí jí chybět ani určitá věrohodnost, vyvážená však nesporným tajemstvím, jež nemusí být nadpřirozeného původu. Otázkou ale myslím je, kolik let potřebuje historka, aby dozrála v pověst? A hádám, že půlstoletí by mohlo stačit a že tajemné historky, co se v Brně urodily na počátku padesátých let, mají dnes už nárok na kanonizaci.

Jako kluk jsem těm historkám většinou věřil a místům, kde se zlověstné příběhy odehrály, jsem se raději vyhýbal. A dodnes jako bych tam cítil jakousi malátnou přítomnost čehosi neidentifikovatelného, takže ji s nostalgickým potěšením zakouším, když jdu například po Cejlu kolem vrat neblahého domu, v němž se někdy na podzim roku 1951 semlelo to, čemu se pak říkalo „štíří svatba". A v parku pod Špilberkem každého roku znova rozkvétá kaštan, v jehož jarní koruně uviděl mladý pár oběšence, a chlapec zůstal u stromu a dívka zaběhla pro esenbáky, a když se s nimi vrátila, byli už oběšenci dva. A nedávno jsem měl co do činění v Židenicích, a tak jsem si vzpomněl na povídačku o komsi, kdo koupil maso z nucené porážky a doma pak v kabele našel do novin zabalenou hlavu Majorky, což byl efébský mladík, proslulý po čtvrti tím, že dělal milence majorovi ze židenické posádky. A co štěkot loveckých štvanic, který prý člověk mohl slýchat z prostor brněnské kanalizace, a co komárovský Petrolín, ubohý žebravý idiot, o němž se ale tvrdilo, že má identického dvojníka, jenž ve společnosti dam večeřívá v Grandu a nechává tam královské spropitné. A co nařezávač výtahových lan, který vždycky mezi Třemi králi a Hromnicemi bloudil městem a výtahy padaly jak zralé hrušky. Na Běhounské, nedaleko domu, kde jsem tenkrát bydlel, se zas odehrála známá historka s vojákem, co přijel pozdě v noci na opušťák a dům mu otevřela domovnice, o níž se pak dozvěděl, že je už den a noc mrtvá. A to, že má tahle story i svou pražskou a dokonce i ostravskou verzi, a že se tedy přihodila v rozdílný čas na více místech, je zase, tvrdím, jedním z mateřských znamének pověsti.

A jen si všimněte té úrody hrůzných historek z počátku padesátých let! Bylo to snad tím, že tenkrát nám nic takového jako televize neservírovalo své „noční můry" až na polštář? Anebo tím, že tehdejší zlověstná politická můra, jež dolehla na celou zemi, chtěla být kompenzována nějakou, abych tak řekl, přívětivější hrůzou? I dnes je samozřejmě habaděj hrůzných povídaček, jenže se jim už nedostává příběhového půvabu budoucích pověstí. Zřejmě je to s pověstmi jako s pranostikami, nové už nevznikají, jejich čas pominul. A počátek padesátých let byl jejich posledním pařeništěm.

Vroucně nenávidím

Brno určitě nebude typickým městem ruských emigrantů. A nejspíš většinu z nich i tady posbírala hned po válce KGB. Ale když slýchávám z pravoslavného kostela pod Špilberkem staroslověnský zpěv, bezpečně v něm poznávám ruskou fonetiku, jak nás v ní cepovali na fakultě. A vždycky chvíli postojím, neschopen pojmenovat, co se to ve mně jak velryba převaluje.

Z první poloviny padesátých let pamatuju Sergeje Vilinského, který měl tenkrát své znamenité místo v hierarchii brněnských štatlařů. Ale jak ten nenáviděl komunisty! Byl autorem ústním podáním šířené kulinářské příručky „827 způsobů, jak chutně připravit biskupa z komunistického papaláše". Na Rooseveltově ulici v ten samý čas bydlela ruská emigrantka, jejíž jméno se mi sice vytratilo, ale zato si živě vzpomínám, jak jsem ji navštívil s nějakým vzkazem. A uviděl jsem domácký ikonostas, na němž sice nechyběly ani svaté ikony, ale kterému nepokrytě vévodil ručně (a láskyplně) kolorovaný Stalin. Nedala na toho Gruzínce dopustit, přestože vyštval její rodiče z Matičky Rusi.

Ale i můj vztah ke svaté Rusi je dost komplikovaný. Po sovětské invazi jsem sice na jednadvacet roků zanevřel na azbuku, ale jen odtáhl poslední ruský voják, honem jsem si zas snosil z půdy své azbučné poklady. A ač je mému ironickému naturelu protivný ruský patos a sentiment, nejednou se teď přistihnu, jak si ho zas vyzobávám z Dostojevského jak strakapoud z kůry. A když rázně odhrnu všechny své postmoderní lásky, objeví se zas znova můj nejmilovanější autor, jemuž vděčím za vše, Ivan Bunin. A když takhle jen lehounce prstíkem perforuju celou tu nadstavbu z Apollinairových Pásem a Ginsbergových Kvílení, uvidím zas škvírkou ten nejzázračnější svět Evžena Oněgina, rozsvícený Puškinovou jitřní i náměsíčnou ruštinou. Není nic odpornějšího než průměrná ruská literatura, kterou kdys krmívali naše ediční programy. Ale na druhé straně, neznám v evropské kultuře nic výsostnějšího než těch pár ruských géniů, kteří nevzlétli na perutích, ale sami se zapřáhli do káry.

Jako syn emigranta (a synovec redaktora Svobodné Evropy) jsem se nemohl dostat na gymnázium, ale nakonec mě vzali na Antonínskou, kde byla tenkrát třída s rozšířenou výukou ruštiny. A totéž, když jsem se pak pokusil o filozofickou fakultu. Vzali mě až napodruhé, po ročním odkladu, a s tím, že ze mě bude rusista. Násilím mi strčili čumák do ruské kultury.

Můj dědeček z matčiny strany byl Ukrajinec, neměl Rusy rád, ale vášnivě četl ruské autory. A tu jeho rozdvojenost si nosím taky v duši. Rusko vroucně nenávidím a nevražívě miluji.

Básník se zázračnou pamětí

V sedmdesátých letech zůstalo i v Brně něco málo
míst, kam si člověk mohl zajít, posedět s přáteli a pře-
svědčit se o tom, že skutečný svět má pořád ještě několik
opuštěných ostrůvků, které se zas jednou — až vody Po-
topy opadnou — spojí v celistvou pevninu. A jedním z těch
šťastných míst, jedním z těch brněnských azylů byl i ateliér
malíře Jánuše Kubíčka — ve čtvrtek odpoledne a v podve-
černích hodinách.

Přes prosklenou stěnu ateliéru bylo vidět na střechy
Římského náměstí a u protější zdi stála kamínka, ten
slavný „vincek-chcípáček" z Kainarovy básně „Stříhali
dohola malého chlapečka". A když se vincek naládoval
a rozfajroval, srazili jsme se kolem v židlích a rozklíže-
ných křeslech a po chvíli už začala ta vzpomínková sean-
ce. Vyvolávaly se staré krásné časy, což uměl Mistr Jánuš
s podmanivým zaujetím, a doplňoval ho básník Klement
Bochořák se svou fotografickou pamětí, z níž vytahoval
snímky času i se všemi fantastickými detaily. A tak si pan
Klement pamatoval přesně, jaké bylo počasí toho a toho
dne před dvanácti, ale i dvaadvaceti třiceti lety, a vybavil
si s neomylnou věrností jakési vzdálené odpoledne na
faře chrámu svatého Jakuba někdy na konci třicátých let
a vypočítával hned, kdo všechno tam tenkrát byl, kde
kdo seděl nebo stál, a zrovna, když nám pan Klement lí-
čil, jak se v důvěrném kroužku na faře najednou zvedl
důstojný pán premonstrát a citoval z Horatiovy básně:

„Aequam memento rebus in arduis servare mentem, non sccus in bonis ab insolenti temperatam...", zrovna v té chvíli ho někdo z nás přerušil všetečnou otázkou, kolik bylo hodin, pane Klemente, když pan premonstrát rechoval Horatiovu báseň? A básník Bochořák bez zaváhání upřesnil: Za sedm minut poté, co velebný pán premonstrát dorecitoval, odbily ze svatého Jakuba čtyři. I ztuhli jsme všichni v posvátné úctě před tak svrchovanou pamětí, co v básníkově hlavě uchovávala po desítky let každý miligram skutečnosti i každou kapku deště, která se kdysi dotkla okenní tabule.

Jednou vyprávěl malíř Jánuš Kubíček, jak si jeho otec kdysi pozval kopáče, co mu měli na zahradě vykopat bazén. Stalo se to dávno před válkou, v hlubině třicátých let. Pozval si kopáče a nechal je tam s dogou Elvírou a spěchal kamsi na schůzi městského zastupitelstva, která měla schválit návrh pomníku Josefa Merhauta či co. A pak měl ještě schůzku s Jiřím Mahenem. A ta se protáhla jako vždycky. Takže odešel odpoledne a vrátil se až pozdě večer. Vrátil se až za tmy. A když vrzl zahradní brankou, doga Elvíra k němu obrátila hlavu s očima jak mlýnské kameny. Seděla, ba tyčila se na pokraji vykopaného bazénu, a když si malířův otec posvítil baterkou dolů, shledal na dně bazénu dva kopáče, jak tam sedí zchromlí zimou a už zcela rezignovaní a kolem nich vajgly ze všech jejich vykouřených cigaret. Vykopali bazén a pak v něm uvízli jak v pasti. Kdykoliv se totiž, ubožáci, pokusili vylézt, vycenila na ně Elvíra svůj elvírovský chrup a držela je v bazénu jako dvě leklé ryby.

A to by byl konec té historky, nebýt básníka Klementa Bochořáka. Víte, ti kopáči — řekl najednou pan Klement — nejmenovali oni se náhodou Vlastimil Hniloba a Karel Prut? Já bych řekl — dodal zamyšleně — že ta vaše Elvíra moc dobře věděla, co činí, jestliže byla cvičená na zloděje a šibeničníky. Protože tenhle Hniloba a tenhle Prut unikli v šestatřicátým jen o vlas šibenici za loupežnou vraždu v Komárově. A toho dne — pokračoval pan Klement — kdy unikli o vlas šibenici a kdy s nima byl proces na Cejlu, toho dne bylo zrovna úterý a asi od tří hodin odpoledne dvě hodiny souvisle pršelo. A na Zelným rynku — upřesnil ještě — na Zelným rynku prodávali v to úterý živý kohouty.

A všichni jsme zděšeně hleděli na básníka, a ten, protože nechápal, nerozuměl, proč se na něho tak díváme, řekl omluvně: Tak nezlobte se, pánové, ale já jsem se chtěl jen zastat té němé tváře, toho věrného zvířete. Takový zvíře totiž, a to je dokázaný, bezpečně pozná, dopředu bezpečně pozná každýho budoucího šibeničníka.

Ateliér malíře Jánuše Kubíčka byl v tom znehybnělém bezčasí sedmdesátých let takovým strojem času, který nás čiperně přemísťoval z hloupé a tupé přítomnosti do krásných a šťastných roků. A někdy se mi zasteskne po těch dávných odpoledních a podvečerech v ateliéru Mistra Jánuše. Už se tam nescházíme a nevídáme a básník Klement Bochořák, který si už povídá s některým ze svých důvěrných archandělů, vypráví mu teď právě — představuju si — vypráví mu teď o našich schůzkách v Kubíčkově ateliéru. A tak se náš čas básníkovou zásluhou zrcadlí na nebesích i se všemi dávno zapomenutými detaily.

Dáma s hranostájem

Je tomu už právě třiatřicet roků, co jsem poprvé vstoupil do ateliéru malíře Jánuše Kubíčka, odkud je prosklenou stěnou vidět na střechy Římského náměstí, toho tajemného i tajného srdce Brna. A protože věřím na genia loci, neumím si představit, že by právě tento magický prostor města nepoznamenal Kubíčkovu malířskou tvorbu stejně významně jako třeba iniciační okouzlení Paulem Cézannem anebo niterné spříznění s anglickým abstraktním malířem Benem Nicholsonem.

Je tomu už právě třiatřicet roků a přišel jsem tam tenkrát s úmyslem udělat s malířem rozhovor o kontinuitě ve výtvarném umění. Rozhovor mi pak počátkem roku 1969 otiskli v brněnském měsíčníku Index, ale byl jen na počátku nonstop hovorů a povídání, hovorů, které jsme pak vedli dobrých deset roků, ale už bez možnosti z nich kde něco publikovat.

A tady jsem se také poprvé setkal s básníkem Klementem Bochořákem, s panem Klementem, ale i s brněnskými surrealisty z tehdy už legendární skupiny RA, s Ludvíkem Kunderou a Václavem Zykmundem. A tady jsme také pořádali malé předvánoční a novoroční kulinární slavnosti, protože Mistr Jánuš byl nejen znamenitým gurmánem, ale i tím, kdo umí připravit gurmánskou hostinu, zatímco na prosklenou stěnu ateliéru se zvenku lepí sníh a pan Klement vypráví jednu ze svých kunštátských historek a občas se někdo z nás zvedne a přisype z uhláku do malých rozfajrovaných kamínek.

Na počátku sedmdesátých let, v čase, kdy jsem už neměl kde publikovat a nakladatelství Blok mě vyškrtlo z edičního plánu, v tom čase, kdy jsem se živil jako dělník v mostárně, mně malíř nabídl, abych uspořádal a připravil k vydání korespondenci jeho otce, sochaře Josefa Kubíčka, s básníkem Jiřím Mahenem. Nikdy k tomu nedošlo, protože jsem se necítil kompetentním mahenologem, ale přátelství Kubíček–Mahen mě přivedlo k úvahám o tom, co vlastně přitahuje spisovatele do ateliérů výtvarníků. Nuže, řekl bych, že je to především základní rozdíl mezi prací výtvarníka a spisovatele. Ten první totiž pracuje přímo se skutečností, kdežto druhý jen s jejím pojmenováním. A tak mě do ateliéru přitahovala možnost sledovat, jak vzniká obraz a jak se tvoří jeho struktura od prvého doteku s motivem. A měl jsem pocit, že je to přímo přírodní proces, který je mi tu názorně demonstrován. Viděl jsem zblízka jednotlivá stadia tvorby a nahlédl do magické kuchyně kreativity, tak nádherně barevné a hmatatelné. Byl jsem svědkem vzniku celých rozměrných cyklů (Nymfy, Potopa, Ateliéry) a pozoroval, jak se v barevných kompozicích motiv doslova prosvěcuje strukturou jako barevná a světelná tušení a barevné a světelné průniky a záblesky. A to všechny jsou zázračné zážitky pro toho, kdo pracuje jen se slovy.

A ještě pro něco jsem přicházel. S Mistrem Jánušem se totiž nejen dobře povídalo o nepřerušitelné kontinuitě výtvarného umění, ale Jánuš byl i rozený vypravěč. A jeho vyprávění se, vzpomínám si, větvilo do dvou seriálů. A ten první byl o krátkých šťastných poválečných časech (do Února), kdy ještě v Brně pobýval básník Josef Kainar a pravičák Kubíček se s ním hádal o politice, aby pak na rubu účtenek skládali rýmované inzeráty. A zde jeden leonardovský, z Kainarova kapsáře:

Dáma s hranostájem
hledá v městě nájem.
Dáma dá hranostáje
za kousek teplý stáje.

Ale vůbec nejraději jsem naslouchal předválečným historkám ze života Jánušova otce, už zmíněného sochaře Josefa Kubíčka. A z těch byl tak dlouhý seriál, že vystačil na celá sedmdesátá léta, takže trumfl i nekonečný Dallas na vídeňské televizi.

A vzpomínám si třeba na historku o egyptské siamce, kterou sochaři Kubíčkovi věnoval nějaký jeho zahraniční ctitel. Egyptská siamka, to byla moc vzácná rasa, a tak sochař rozhodl, že ji nechá okotit jen stejně ušlechtilým kocourem. Ale znamenalo to především uhlídat ji před kocouřími plebejci. Siamka totiž měla tak vysoce účinný erotický sprej, že jak kapénková nákaza prostoupil atmosféru celého Brna a kocouři ze všech brněnských čtvrtí táhli do Králova Pole, k sochařovu ateliéru. Celé noci obléhali stavení a sochař spotřeboval na jejich rozhánění silvestrovský rachejtle. Ale stejně se zas vrátili, v očích stále mocnější žár. A tak jednou sochař vystoupil na podestu osvětlenou pouliční lucernou.

„Kocouři!" oslovil ten noční zástup. „Až posud jsem si myslel, že ta egyptská siamka, že ta vznešená milostnice, o níž praví Baudelaire, že jak písek do jejich mystických zřítelnic sype se na tisíc hvězd z nebeského mlýna, že ta rozkošnice bude okrasou mému ateliéru, ale teď vidím, že jste potřebnější."

A otevřel dveře na podestu a siamka vyběhla s předlouhou nevěsty vlečkou a zastavila se nad hlavami nočního davu, který v tu chvíli strnul, aby vzápětí propukl v neutuchající svatební řev.

A dnes už to vím: ty dlouhé a kolem základních otázek nepřetržitě kroužící rozhovory, to bylo takové donekonečna nastavované sympozion. Mluvili jsme o souvislostech mezi Kleeovými kresbami a halucinativními náčrtky a negerskými maskami, mluvili jsme o Kandinského kompozicích, nápadně podobných kompozicím z nástěnných maleb ve francouzských jeskyních Lascaux, a mluvili jsme o základním výtvarném rysu, který prochází staletími a jen se různými způsoby variuje a proměňuje.

„Skutečná stopa umění," vysvětloval Jánuš, „musí přetrvat, i když mizí okolnosti jejího vzniku. A to je právě to základní, anebo – jak řekl Cézanne – každý kousek obrazu musí mít svou identifikovatelnou platnost, i když třeba zbytek bude zničen."

„V padesátých letech," navázal zas jindy, „jsem byl považován za formalistu a výstředního modernistu. Ale ve skutečnosti jsem konzervativec, protože tíhnu k antickému umění, což je v tomhle žargonu poznávací znak konzervatismu. Ale ledacos z moderního umění je podle mého názoru jen aktualizací prastarých antických hodnot."

Dobře, konzervatismus. Ale řekl bych, že se nevyjevuje ani tak na Kubíčkových plátnech, ale spíš v jeho příklonu k tradičním životním hodnotám. Mistr Jánuš měl rád otevřené prostory, moře s vysokou oblohou, Itálii, Španělsko, Francii. A projevovalo se to také v jeho nechuti k německé a ruské kultuře.

„Němci a Rusové jsou téhož duchovního rodu," pravil, „a je to zjevné nejen na spříznění Nietzscheho a Dostojevského, ale i Hitlera a Stalina. Rusové jsou slovanští Germáni."

„A my jsme snad slovanští Galové?" zeptal jsem se pobaveně.

„A víte, že nejspíš jo," smál se Jánuš. „Jsme nejspíš slovanští Francouzi. I s tou jejich ochotou k celonárodní kolaboraci."

Stáli jsme u prosklené stěny atelieru a hleděli na tu parádu rudých praporů, jež se v našem městě rozevlály vždy v předvečer státního svátku našich okupantů. Psal se myslím listopad 1977.

Na stěně vlevo od psacího stolu mám Kubíčkův Atelier, zasklený grafický list z cyklu denních a nočních Ateliérů. Teď jsem zvedl hlavu od psacího stroje, sundal brýle na čtení a na okamžik se na Ateliér zadíval.

Je v tom grafickém listu nahuštěn všechen čas, který jsem kdy strávil v Kubíčkově ateliéru, se všemi setkáními, nekonečnými hovory a znehybnělými podvečery, kdy se v okapových rýnách popelili holubi a po Římském náměstí jezdil někdo dokolečka na skřípavém bicyklu.

Ano a tam kde síť čar a kontrastních odstínů tvoří na grafickém listu průlinku, jako kdybych nahlédl štěrbinkou na dopisy do předsíně Věčnosti.

Lemury

Začátkem loňského roku jsem se konečně odhodlal podstoupit operaci tříselné kýly. Absolvoval jsem si vstupní vyšetření a pak mě chtěl ještě vidět primář, který operaci povede. Přenášel si do počítače výsledky vyšetření a občas se mě na něco zeptal. Ale už od první chvíle jsem věděl, že také já se chci zeptat.

Však od toho tady jsem, ptejte se.

Jenže já mám takovou spíš osobní otázku.

Zvedl hlavu.

To vaše jméno není tak docela běžné. A tak mě napadlo, jestli jste kdysi dávno nechodil do školy na Jakubském náměstí?

Usmál se a kývl k počítači. Taky jsem si hned všiml, že jsme stejný ročník. Ale máte zřejmě lepší paměť než já.

Chodili jsme spolu do čtvrté a páté třídy. Vy jste, pane primáři, sedával v té řadě u oken, v druhé lavici. Ale to vůbec není o dobré paměti. Vždyť jinak si už nikoho z té třídy nepamatuju. Vy jste mi totiž utkvěl, protože jste se jednou pochlubil, že máte strýce, který bydlí v Lemurech, což je prý městská čtvrť mezi Žabovřeskami a Královým Polem, docela malá a tajná brněnská čtvrť. Dlouho jsem tomu já blbec věřil a tu čtvrť hledal. A přestože už na to dávno nevěřím, kdykoliv jedu městským autobusem z Králova Pole přes Žabovřesky, ta idea ve mně zas na chvilku ožije.

Pobavil jsem ho. Ale na žádného strýce z Lemur se už vůbec nepamatoval. Zřejmě to tenkrát byl jen takový okamžitý klukovský nápad, ktcrý už příští den pustil z hlavy. A tak jsme se zas vrátili k dávnému klukovskému tykání. A potom jsme se viděli až u opcrace.

Zavezli mě na operační sál, kdc jsem na požádání udělal kočičí hřbet, aby mi mohli píchnout spinální anestézii, po níž jsem znecitlivěl od pasu dolů (a stal se kentaurem, jehož horní půlka je ještč lidská, zatímco spodní už kdovíčí), a mohl jsem pak operaci sledovat jako takový vířivý pohyb ve slabinách a v břiše. Necítil jsem vůbec žádnou bolest, ale ten vířivý pohyb ano. A v myšlenkách jsem se hned přemístil do těch hodně vzdálcných klukovských časů, kdy jsem se několikrát vypravil hledat Lemury, malou, tajnou brněnskou čtvrť, a pohyboval se přitom po té pomyslné čáře, kde se Žabovřesky dotýkají Králova Pole. A jak se mi můj dávný spolužák se svým sekundářcm vrtali ve vnitřnostech, zopakoval jsem si celou tu cestu a tcn pohyb v břišc a slabinách jsem vnímal jako úporné hledání tajné městské čtvrti. Mimochodem, zkoušcli jste někdy jít po té ncvytyčené hranici na styku dvou městských čtvrtí?

Dali jsme ti tam implantát, takovou mřížku, která by měla zabránit obnovení kýly, ale prvních sedm týdnů bacha, nic těžkýho nenosit a nezvedat, řekl mi můj dávný spolužák A na tajnou městskou čtvrť už nepřišla řeč.

Ale ouha. Vloni v listopadu se mi zas (po osmi měsících a implantát neimplantát) provalila kýla. Postěžoval jsem si na to komusi a ten mi svěřil, že slyšel, že úplnč nejlíp dělají kýly na klinice v Lemurech, což je prý nějaká brněnská čtvrť. Cože? vyletěl jsem. Kdo ti to říkal? Kdo? No, povídali si to v tramvaji.

A od té doby jsem přestal jezdit městskými autobusy a jezdím tramvajemi.

Dar z nebes

Mechanismus paměti je tak překvapivý, že mě po celý život zaskakuje svými kousky. A tak jsem si nedávno vzpomněl na historii starou jednačtyřicet roků, ale okolnosti, jak jsem si vzpomněl, opravdu stojí za zaznamenání. Bydlel jsem tenkrát ve velkém rohovém činžáku v Brně na Orlí ulici. O poschodí výš bydlela paní D. Bylo jí už víc než padesát roků a měla poměr s nějakým mladíčkem, což bylo v té době něco neslýchaného. A nejenže se tím vztahem nijak netajila, ale dokonce snad všechny v domě provokovala. Dům byl pohoršen, ale zároveň ji sledoval s vlčí lačností. A musím se přiznat, že jsem taky patřil k té vlčí smečce. Navíc mi štěstí přihrálo takovou niku na chodbě (kdysi v ní stávala socha světce či světice), do níž jsem krásně viděl dveřním kukátkem. O poschodí výš klaply dveře (byl jsem na ten zvuk nastražený jak pastička na myš) a paní D. se svým milencem sestoupila do mého poschodí a tady hned vklouzli do niky a divoce se muchlali, jako kdyby si toho neužili dost nahoře v bytě. Byl to nejspíš takový jejich rituál, jakási milostná dohra. Viděl jsem každičký vzrušivý detail (vždyť oni se tam snad ještě narychlo pomilovali!) a oddával se tomu voyérství až do dne, kdy paní D., místo aby vklouzla do výklenku ve zdi, šla přímo k mým dveřím, zazvonila a já samým leknutím okamžitě otevřel, jedno oko ještě přivřené a druhé lačně vyvalené. Ale byl jsem tak ochromený studem (najednou si jist, že paní D. už dávno ví, jak je šmíruju), že jsem jednal zcela mechanicky, a navíc se ten stud ve mně rozlil jak žíravina a brzo z mé paměti vygumoval všechno, co po otevření dveří následovalo. Celý dům si toho neřestného vztahu užíval necelý rok. Všichni byli přesvědčeni, že mladíček z té ženské pumpuje prachy a že jen na tom to stojí. Ale nebylo nám nikdy dopřáno dozvědět se, jak to ve skutečnosti bylo. Paní D. onemocněla (rakovina nebo zápal plic, teď už nevím) a všechno vzalo rychlý konec. Čekali jsme, že mladíček se teď nastěhuje do jejího bytu, ale přišli tam nějací cizí lidé a mladíček se už nikdy neobjevil.

O jednačtyřicet roků později, tedy letos v lednu, jsem si koupil boty v prodejně v Židenicích. Leč boty se hbitě rozklížily, a tak jsem je reklamoval a dozvěděl se, že nic nevyreklamuju. Naštval jsem se a šel za vedoucí prodejny. A tak jsem se s ní znovu setkal. Samozřejmě vím ledasco o dvojnících a taky vím, že podobnost s někým, kdo už je tak dlouho po smrti, je možná jen věcí nějakého podivného zrcadlení v duši. A proto jsem se tím nenechal přivést do rozpaků. Ukázal jsem jí boty a kupodivu byla ochotná a že mi je hned sama vymění. Když jsem pak vyšel z prodejny, zjistil jsem, že jsem si tam vyměněné boty zapomněl. Ale to už jsem taky dobře věděl, že se nemohu pro ně vrátit. Právě v té chvíli totiž zafungoval mechanismus paměti a kamínek zapadl do své dávné mozaiky.

Když jsem před jednačtyřiceti lety (opařen studem od hlavy k patě) otevřel dveře, podala mi paní D. igelitovou tašku se slovy, že jsem si ji zapomněl v prodejně. Nerozuměl jsem tomu. Ale protože jsem nebyl s to paní D. odporovat a protože v tašce byly nové a nádherné boty, obul jsem si je. Seděly. A tak jsem je přijal jako dar z nebes. Ale nebyly darem z nebes. Jak už víte, zaplatil jsem za ně o těch jednačtyřicet roků později. Z honoráře za nějaký fejeton.

Chvála periferie

I v Brně jsou periferie, jež mají to štěstí, že už drahně let v nich přebývá cosi nadstandardního (například brněnské výstaviště), takže je už dávno jako periferie nevnímáme. A přetrvala snad jen jakási tklivá periferní nálada, kterou potkáte večer (třeba na ulici Hlinky) půvabně zavěšenou do soumraku. Ale jsou taky periferie — a ty se nesluší vyvolávat jmény — jež jsou ničemu nepodobny, ba nestvůrny, a z nichž by nevytloukl poetický kapitál ani malíř Kamil Lhoták.

Ale když se zamýšlím nad tím, co je periferie, uvědomuji si, že to neznamená jen okraj, ale taky hraniční oblast. Co tím chci říct? Například to, že předjaří a babí léto jsou periferiemi ročních dob a puberta periferií v lidském životě. A že můj oblíbený příběh z bouřících se Stínadel se zas odehrává až kdesi na periferii literatury. A ještě stále není jasné, co chci říct? Vypomůžu si tedy několika klíčovými slovy: provizorium, živelnost, spontánnost, nedefinitivnost a nedefinovatelnost. A že teď heroizuji to, co vzniklo jen soustavným opomíjením a zanedbáváním? A že všechny periferie vezmou už rychle zasvé, protože mamutí obchodní společnosti si už nad nimi přidřepují, aby do nich snesly svá obří super a hyper a big hypervejce?

Když ekologové brání chráněnou krajinnou oblast před budovateli dálnic, je to velice srozumitelné, i když třeba marné. Ale bránit periferii, tu zónu ošklivosti, před účelným zásahem? Jenže já měl vždycky pocit, že jsem tady právě proto, abych hájil neobhajitelné, a že jen to pro mě zůstalo, všechno ostatní je už rozdané.

Mám periferie neobhajitelně rád a bubeník bubnující na balkoně pro ovci spásající střechu nedaleké, už dávno opuštěné fabriky (fakt, byl jsem toho svědkem), to je má definice krásy. A to bubnování, když chci, stále znova slyším. A jak někdo jezdí za relaxací do přírody, já do městských periferií. A bohužel jich ubývá rychleji než přírodní zeleně.

Ale správně tušíte, že to všechno má hlubší kořeny. Takže ven s tím. Jsem člověk periferní a necítím se dobře v centru. Čímž teď míním i všelijaké slavnosti a recepce, o jakých pak píše Halina Pawlovská ve své Story. A když se tam přesto octnu, oprávněně čekám, že mě někdo zas rychle vykáže. Kdyby bylo po mém a spisovatel, který se chce trochu uživit psaním, se nemusel občas zviditelnit, neobjevil bych se nikdy, ale vůbec nikdy na veřejnosti. A ten, kdo by chtěl se mnou mluvit, musel by se posadit na tu ovci a poprosit toho bubeníka, aby na chvíli ztichl. A pak bych se třeba odněkud vynořil.

Óda na Rohlíček

Když půjdete od brněnského nádraží směrem k hale Rondo a minete ji a překročíte Svratku, octnete se ve čtvrti pojmenované výstražně Štýřice (místní vyslovují také Štířice). A tady, tři sta metrů za mostem, stojí to, čemu se odedávna říká Velký Rohlíček (a častěji jen Rohlíček).

Velký Rohlíček je obrovský pavlačák s průčelím vykrojeným do oblouku, do rohlíku. Před takovými osmdesáti lety ho postavili pro dělníky z blízké cihelny. Je poskládaný ze samých rovnomocných garsonek, které ovšem už brzo po nastěhování praskaly ve švech, našvihané stále víc bobtnajícími dělnickými rodinami. A jak plynula desetiletí, Rohlíček chátral a před dvaceti lety zůstalo z někdejších rodin cihlářských dělníků už jen několik hodně starých žen. A pak se začaly garsonky rozprodávat do osobního vlastnictví a znova rychle našvihávat.

Velký Rohlíček je sice v seznamu památkově chráněných objektů (co ukázka dělnického bydlení v předválečném Brně), ale těžko by vás k němu přivedl zájem o brněnskou architekturu. Je spíš pochmurný než atraktivní a jeho vzhled má snad cosi společného taky s obřím podkovovitým magnetem, přitahujícím fantastickou koncentraci lidských osudů. Na dvoře Velkého Rohlíčku se odehrály ty nejveselejší svatební hostiny, ale taky drsné rvačky, jež, pokud vím, skončily v několika případech tragicky. Garsonky Rohlíčku poskytly přístřeší jak spořádaným rodinám, tak i těm nejdivočejším láskám, výstředním samotářům i družným, přátelským bytostem. Bydlel tam například podivín, co dlouhé měsíce nevytáhl paty, nereagoval na zvonění, až se jednoho dne sebral a kamsi zmizel a nechal dveře dokořán a vevnitř všechen svůj majetek. Ale taky jsem viděl garsonku přeplněnou obrazy nejrůznějších velikostí a stylů, ale jediného námětu: anděl převádějící dítě přes lávku nad propastí. A v další z těch garsonek žil kdosi, kdo celý život jezdil s náklaďáky a teprve na stará kolena objevil svůj talent a chodil pak cvičit psy pro slepce.

Velký Rohlíček ve Štýřicích je už na první pohled protějškem antipodem, protinožcem takzvaných „dobrých adres", tedy těch v Masarykově čtvrti, Modřicích anebo v právě dostavěných luxusních brněnských sídlištích se zimními zahradami v přízemí a letními na střechách. Teď je obrovskou módou snažit se narodit do „dobrých adres". Ale nejspíš se vám to nepovede, protože tam se tradičně rodí jen maličko dětí. Však nezoufejte, když se trefíte zrovna do nějakého toho Rohlíčku. Tam se totiž zas tradičně rodí mnohem víc géniů a jedinců vybavených mimořádným lidským potenciálem. Což není leviáctví, ale statistika. Vítejte na palubě Rohlíčků, přátelé!

K metafyzice výtahu

Výtah je ze všech dopravních prostředků ten nejroztodivnější. Uvažte třeba, že z horizontálního hlediska je vlastně zcela nehybný. Neodveze vás ani do Zákřan. Ale chtěl bych vás teď na dvou příkladech přesvědčit, že když přijde na věc, poruší výtah i tohle zavedené pravidlo. A hle, příklad prvý.

Někdy v březnu 1950 nastoupil můj strýc Alex s celou svou rodinou do výtahu, a když pak o tři poschodí výš vystoupili, hleděli jak vyorané myši, protože tohle přece nebylo poschodí domu, v němž bydleli. Ale abych to zbytečně neprotahoval: nejenže to byl jiný dům, nýbrž taky jiné město a nýbrž taky jiná země. Alex přivolal výtah zpátky, jenže přijela taky úplně jiná výtahová klec, taková s černošským liftboyem, a ať tím newyorským mrakodrapem pendlovali, jak chtěli, cesta zpátky už nevedla.

Na cestu zpátky se vydali až o čtyřicet roků později (tedy na jaře 1990) dva Alexovi synové, mí bratranci Mirek a Ivan. A když pak dorazili do staré vlasti, dozvěděli se, že toho dne před čtyřiceti lety, kdy nastoupili s rodiči svou „výtahovou emigraci", přišla Státní bezpečnost zatknout jejich otce a vůbec zvrátit jejich osudy. Čili že unikli jen o fous.

Dobrý, ne? Ale teď k tomu druhému příkladu.

Mirek s Ivanem se chtěli především podívat do domu, v němž kdysi bydleli. S nelíčenou zvědavostí nastoupili do výtahu, který se kdysi postaral o jejich zámořskou cestu, ale ten se tvářil jak neviňátko. „Asi byste měli vědět," řekl jsem bratránkům během jízdy výtahem, „že váš byt se vším vybavením dostal za odměnu jakýsi estébák, se vší pravděpodobnosti jeden z těch, co tenkrát přišli pro vašeho otce." Ale bratránci se tam přesto rozhodli zazvonit. Otevřel jim postarší člověk, ale když mu řekli, kdo jsou, odmítl se s nimi bavit a řekl, že spěchá, a nastoupil do výtahu a od té chvíle ho už nikdo neviděl. Leč okamžitou rekognoskací terénu jsme zjistili, že ho výtah odnesl do horoucích pekel.

O několik dnů později jsem seděl s Mirkem a Ivanem na terase hotelu Avion a při mikulovském víně jsme si tam uspořádali malé sympozion o metafyzice výtahů.

„S výtahy je to možná tak," navrhl jsem, „že ten jejich ustavičný pohyb po vertikále, rozumějte, ten opakovaný a úpěnlivý pohyb nahoru-dolů a nahoru-dolů, pohyb připomínající modlitební mlejnek, má tak trochu charakter transcendentály, jak by řekl básník Vladimír Holan. A s transcendentálou je to zas tak, že výjimečně zasahuje do našich osudů. A to tehdy, když jsme tak bezmocní, že už jen nějaká transcendentála nás může zachránit." Ale bratranci okamžitě protestovali, protože dnes už přece nejsme bezmocní. A s tím estébákem, co jim ukradl byt, by si už poradili sami. Ten nadpřirozený zásah byl teď už zbytečný. A tak jsem musel připustit, že i transcendentála se může zmýlit. Vždyť nejen s nějakým estébákem, ale s celou komunistickou mafií si už hbitě poradíme sami.

Byl nádherný jarní den roku 1990. Dlouze jsme upíjeli dobrého vína a dokonce i ten zubožený hotel Avion v těch chvílích znova zářil jako klenot funkcionalistické architektury.

Alfa

Funkcionalistický architekt Bohuslav Fuchs má v Brně několik slavných staveb, ale taky jednoho levobočka, který se ve výčtu jeho architektonických opusů skoro nikdy neuvádí, přestože jde o přímo učebnicovou ukázku funkcionalismu a impozantní stavbu v samém centru města. Fuchs byl sice roku 1930 na počátku projektu paláce Alfa, takříkajíc ho počal, navrhl a nakreslil, ale úprav a realizace se už ujali jiní. Škoda. Pasáž Alfa, to jadýrko ve skořápce paláce Alfa, je totiž jakýmsi zenovým prostorem. Přestože jsou tam obchody, obchůdky, kino, ochozy a několikero schodišť, vchodů, východů a průchodů, je tam zároveň zvláštní klidový statut, projdete pasáží a jako byste prošli okamžikem bez hranic a bránou bez dveří, aniž si to vůbec uvědomíte. Buddhisti ani nemusí v Brně stavět žádný chrám, stačí, když si vysvětí pasáž Alfa.

Jako kluk jsem záviděl spolužákovi, co v Alfě bydlel, ten veliký svazek klíčů a klíčků k všemožným zámkům v soustavě mříží, oddělujících v nočních hodinách jednotlivé úseky pasáže, které tak připomínaly lodní komory v nepotopitelném Titaniku. A jen v pasáži Alfa se mi mohlo přihodit, co vám teď povím.

Ještě jako vysokoškolský študák jsem připravoval středoškolačku k maturitě a byl jsem v té rodině vážený domácí učitel, který dvakrát týdně vešel do paláce Alfa a pak stoupal složitým systémem schodišť v úzkých chodbách jak myš děrami v obrovském ementálu. V druhém poschodí jsem vždy zaslechl přes zeď piano (taky tam někdo dával kondice?) a o kousek výš zas ve zdi šuměl déšť či co. A to vůbec nemluvím o výtazích, které tam všude rejdily jak člunek v tkalcovském stavu, ale já, jakkoliv vážený, neměl k nim klíč.

A tak týden po týdnu, až jedno odpoledne jsem vystoupal k těm dveřím, zazvonil, vevnitř to zadrnčelo, ale jinak v bytě ticho. A tak jsem zazvonil znova a důrazněji, vždyť mi přece už za chvíli měla začít hodina. A uslyšel jsem tiché kroky a kukátkem se někdo podíval a zas odešel. Dlouho jsem tam stál, než jsem se odvážil zazvonit ještě potřetí. A pak jsem si vzpomněl, že v bytě je telefon, a zašel jsem přes ulici na poštu a našel si číslo pana inženýra a prozvonil to tam. Někdo na druhém konci mlčky zvedl sluchátko, čekal, ale sotva jsem se představil, zas ho položil.

Vypadá to jak temná záhada a vysvětlení je sice jednoduché, ale připravte se, udeří na temnou strunu.

Příštího dne jsem navštívil ty, co mi kondice dohodili, a dozvěděl se všechno. Na hodinu jsem přišel v pondělí a předchozího dne, tedy v neděli, vezl pan inženýr svou ženu a dceru z výletu a havarovali a žena s dcerou nepřežily, jen pan inženýr vyvázl jak zázrakem bez zranění. Co měl tedy udělat, když jsem v pondělí přišel zazvonit u jeho dveří? Měl mi snad otevřít a říci, už tady nemáte koho učit, právě jsem zabil vaši žačku?

Od té doby uplynula spousta let, ale už nikdy jsem nesebral odvahu třeba jen tak vystoupat k těm dveřím. Peníze za kondice mi přišly poštou.

Ale promiňte, to jsem odbočil. Chtěl jsem jen říct, že pasáž Alfa je zenový prostor.

Malá recenze na Bohuslava Fuchse

Architektura je zároveň nejabstraktnější ze všech uměn (čímž chci říct, že skoro nikdy nezobrazuje a že v nezobrazivosti je ještě důslednější než hudba) a zároveň nejužitkovější, nejfunkčnější (slouží především jiným než estetickým účelům). A právě mohutný estetický účinek naprosté nezobrazivosti a skulpturálně zvýrazněné funkčnosti je nejcharakterističtějším rysem architektonického díla Bohuslava Fuchse, jak nám ho představuje fuchsovská monografie Iloše Crhonka na sto devadesáti stranách architektonických i urbanistických projektů a realizací. Celoživotní dílo architekta je zde předvedeno od jeho velkolepého rozběhu přes vrcholy ve dvacátých a třicátých letech až po manýristický úpadek („pomníkem" manýristického úpadku funkcionalismu je Fuchsův obludný obchodní dům ve Znojmě, který se nijak nevymyká z trendu reálně socialistických obchoďáků a kulturáků; a právě nad ním se vznáší otazníky: co se stalo s avantgardním funkcionalismem v socialistické epoše? a co se vůbec děje se všemi avantgardami v „realizovaných utopiích"? a jak to že zmizel estetický účinek, když funkcionalistické prvky zůstaly zachovány? – to jsou otázky, k nimž se už bohužel autor monografie nedostal).

Své místo mají v knize i Fuchsovy mimobrněnské stavby. Jeho významná díla totiž najdeme i v Tišnově, Třebíči, Trenčianských Teplicích, Bratislavě, ale i (dům postavený pro Jakuba Demla) v Tasově. Autorův výklad rozděluje

Fuchsův funkcionalismus do tří období: po „kultu pravého úhlu" z dvacátých let (realizovaném především v proslulé Zemanově kavárně) přichází ve třicátých letech období, v němž architekt opouští svou „okázalou jednoduchost", aby se vrátil ke křivce a oblouku, a v atmosféře války a německé okupace hledá pak inspiraci v lidovém stavitelství. Za pozornost stojí i Fuchsovy urbanistické návrhy, předjímající už před sedmdesáti lety nejen naši přítomnost, ale i proponovanou budoucnost s přesunutým brněnským nádražím. A to všechno je v monografii bohatě dokumentováno fotografiemi, kresbami, náčrty, ale pro mě, přiznám se, byla Crhonkova kniha především příležitostí znovu si projít cestu prvního setkávání s Fuchsovou brněnskou architekturou, která je zaznamenána v mé citové paměti jako prožitek města co prostoru dětství a dospívání.

V poválečných letech jsme bydleli na ulici Elišky Machové, nedaleko jednoho z funkcionalistických rodinných domů (z období „křivky a oblouku"), a do školy jsem chodíval kolem dalšího Fuchsova díla, dětského domova Dagmar, který jsem viděl jako velikou a veselou výletní loď, plnou děcek. Jeden z mých spolužáků, syn lampasáka, bydlel ve Fuchsově budově Vojenského velitelství, kde tenkrát byly (a možná ještě stále jsou) i oficírské byty. Tísnivého zážitku z návštěvy v tom vojensky monumentálním podkovovitém bloku (vypadajícím jak zabstraktnělá podoba pomníku Viktora Emanuela, jak jsem ho tenkrát znal z jakési německé knihy o Římě) jsem se dodnes nezbavil. Přestože ze Žabovřesk, kde jsem v dětství žil, nebylo daleko na brněnskou přehradu, jezdíval jsem raději přes celé město až na druhý konec Brna, do Fuchsových městských lázní, což byl svět sám pro sebe, snově bílý a zářivý. Do gymnázia (tenkrát se tomu říkalo jedenáctiletka) jsem chodil na Antonínské ulici, na dohled Masarykova studentského domova (pod tím jménem jsme ho ovšem neznali), kde jsme měli školní jídelnu. Tato přísně krásná moderní stavba z přelomu Fuchsova prvého a druhého funkcionalistického období je pro mě už navždy spojena s Janou O., mrazivě krásnou spolužačkou z vedlejší třídy, s níž jsem směl v jídelně několikrát sedět u jednoho stolu. Na svá první štatlařská piva jsem chodíval nejen do Bellevue, ale i do Fuchsova hotelu Avion, kde jsem pak nejednou viděl Janu O. ve společnosti herce Černíka. Ve Fuchsově (a Wiesnerově) Moravské bance na náměstí Svobody pracoval strýc Miloš co vážený bankovní úředník, a když jsem mu jednou šel vyřídit jakýsi rodinný vzkaz, stoupal jsem výtahem v tom rozsvíceném bělostném paláci, tehdy nejmodernější budově v centru Brna, skleněné ódě na radost, a cítil se jak nehodný a lehce obluzený pozemšťan, jenž směl zavítat mezi anděly. Docela jinak fungovala Fuchsova nádražní pošta se svým „důrazem na technické komponenty stavby jako nositele estetického výrazu" a na „krásu materiálu a konstrukce", jakož i na „uplatnění tektoniky obnažených ocelových vzpěr a překladů v kontrastu s plně prosklenými stěnami a odvážně vysunutou průběžnou galerií". Takhle jsem si jako kluk představoval vnitřek obří vzducholodi. A když jsem pak o hodně později uviděl v nějakém zahraničním časopise prvé fotografie pařížského Centre Pompidou, byl jsem okamžitě doma a věděl, že Centrum se vyklubalo z Fuchsovy brněnské pošty, pod jejímž stropem dlouhý čas visela jeho veliká, lehounce pomačkaná kukla. Vzpomínám si, jak jsem kterýsi podzimní den z počátku padesátých let stál nad Fuchsovým tramvajovým podchodem k tenkrát zpustlému brněnskému výstavišti s Fuchsovými pavilony a zažíval zvláštní směs úzkosti a krásy. A tak bych mohl ještě dlouho pokračovat.

Nedám na architekta Bohuslava Fuchse dopustit, protože jeho brněnské stavby jsou zapsány v mé citové paměti a bývaly pro mě fuchsovsky bělostnou hmotou snů, modelovanou mými dětskými a klukovskými zážitky, takže nakonec ideálním materiálem obraznosti. A v posledních letech jsem se dokázal smířit i s Fuchsovou účastí na ošklivém pomníku ve středu Brna, na Památníku Vítězství. Když si otevřete monografii na straně 171, najdete tam fotografii pomníku, jak vyhlíží dnes. A všimněte si detailu vlevo v pozadí: velké reklamy Coca Coly na střeše domu. Projíždíte-li večer tramvají směrem ke třídě Milady Horákové, uvidíte Rudoarmějce z pomníku právě na pozadí rudě žhnoucí kokakolové reklamy. A rázem je celý ten prostor nádherně postmoderní.

Prosinec 1995

63

Malá recenze na Štatl

Už v třetím vydání vychází Štatl, knížečka věnovaná zašlé slávě plotňáckého a štatlařského Brna, tentokrát rozšířená o oddíl Zpěvník písní s akordy. Pavel Jelínek, alias Čiča, úvodem upozorňuje, že nenapsal „dílo encyklopedické, historické ani odborně filologické". Tak vo tym žádná, odborná publikace to opravdu není. Všechna tři vydání Štatlu se prodávala především na stáncích a v kioscích poblíž brněnského nádraží, pověstné role, té někdejší Mekky štatlařů, a byl jsem svědkem toho, jak Štatl rychle mizí v kapsách a báglech.

Štatl je z těch knížeček, které se obvykle nerecenzují, vždyť na první pohled je to jen kolportážní brožurka, kde je semleto všechno bez ladu a skladu. Ale kdo koupí, zjistí, že jsou to moc dobře upíchlé love, ba že je to brožurka s nesporným literární půvabem, literatura, jejíž kvality se vyjevují v retrostylu a kouzlu nechtěného. Retrostyl je charakteristický pro texty převzaté z časů předválečné brněnské plotny, tj. především z knížečky legendárního Dra Otakara Nováčka, cimrmanovské postavy a svojského filologa, který ještě v sedmdesátých letech přednášel o brněnském slangu v závodním klubu Královopolských strojíren. Kouzla nechtěného co umného slovesného prostředku pak využívají texty uměného městského folkloru, něco, co bych nazval „ohlasy písní brněnských", čímž nemyslím jen zmíněný oddíl Zpěvníku písní s akordy (kde je jenom jediná původní a lidová či zlidovělá, ta o brněnské šalině, která porazila švigrfotra na velkým place, ale zato je tam sedm docela čerstvých a vošolněných v brněnské hantýrce), ale také básničky a literární střípky, pokusy adoptovat slang a retrostyl pro naše časy i potřeby. A tak přiznal jsem (hóknul do placu), čím mi duše pookřála a co je špicový, ale teď si neodpustím i několik výhrad k Jelínkově Štatlu.

Autor v úvodu upozorňuje, že brněnský městský slang (hantec) nebyl dosud „jazykovědně zpracován" a v závěrečném soupise literatury opravdu zmiňuje pouze práce věnované brněnské městské mluvě, které se slangu, argotu a hantýrky dotýkají jen zběžně a ještě štítivým ukazovátkem. Ale to buď valí na nás šmé, anebo skutečně neví, že situace je chválabohu jiná. Za pozornost například stojí publikace Františka Svěráka Brněnská mluva (Brno, UJEP 1971), kde nechybí slovníček městského slangu. A v knihovně Filozofické fakulty Masarykovy univerzity jsou dostupny i dvě diplomové práce, Hantýrka brněnské mládeže Magdy Fischerové (z r. 1966) a Mluva brněnské mládeže Ladislava Valihracha (z r. 1969). Obě přinášejí nejen jazykovědné zpracování slangového materiálu (od fonetiky po syntax), ale také rozsáhlý sběr slangového lexika z let padesátých a šedesátých, tj. novou, štatlařskou slovní zásobu a to, co zůstalo živé z někdejšího plotňáckého slangu. A ve srovnání s těmito pracemi je Jelínkův slangový slovníček (závěrečný oddíl Štatlu) dost chudý. Chybí v něm to, co je vždy „zlatým fondem" každého argotu, to obrovské, přímo pohádkové bohatství vynalézavých a metaforických názvů pro filáče, filky, filuše, filiska, koně, kocóry, olt psy, mastidla, kchoce, kocále a taky pro jejich přirozené nástroje. Jako by čísi přímo feministická ruka slovníček trochu probrala a přičísla.

Dále v Jelínkově knížečce postrádám celou jednu významnou „štatlařskou etapu", o níž autor neštréchnul ani v posbíraném materiále, ani v autorských poznámkách. A je to tím pozoruhodnější, že jde nepochybně o jedinou „autentickou štatlařskou epochu", totiž o druhou půli čtyřicátých let a léta padesátá. A tady stojí za pozornost, že ani dva surové zásahy do brněnského městského života, německá okupace s likvidací židovského a cikánského etnika (jejichž podíl na brněnském slangu je základní) a „socialistický životní styl" s policejním dohledem nad naší každodenností, nebyly s to zlikvidovat „štatlařský národ" s jeho jazykem, toho legitimního dědice předválečné „brněnské plotny". A čím se tedy „štatlařský národ" poválečných let lišil od předválečné „plotny"? Přibylo v něm študáků a vůbec se snížil věkový průměr a změnilo sociální složení, zmenšila kriminalita, ale zato zvětšil důraz na potřebu odlišovat se od socialistické uniformity, vytvořit si svůj vlastní, výrazný a bizarní životní styl. A tady bych rád parafrázoval i Jelínkem připomenutý paradoxní výrok Dra Otakara Nováčka: Štatl je v rozkvětu, když se politická mizerie blíží kulminačnímu bodu, a upadá, když se objeví první známky uvolnění. A tak jsou překvapivě padesátá léta časem největší štatlařské slávy. Štatl má tehdy tři stejně významná centra, už zmíněnou rolu, brněnské nádraží, dále plac na rohu České a dnešní Joštovy (plac, kterému se tenkrát říkalo U Medvídka podle fotografie šropála s velkým plyšovým medvídkem ve výloze fotosalonu) a konečně velkou proluku v místech, kde dnes stojí hotel International a kde v padesátých letech hostovaly lunaparky.

„Autentický štatl" dožívá pak ještě v šedesátých letech, ale úderem sedmdesátých z něho zůstává už jen legenda, mýtus, literatura. A je snad živý už jen v několika originálních osobnostech. Na jedné straně v herci a „pouťovém" silákovi Frantu Kocourkovi (autoru několika slangových, „ohlasových" textů) a na druhé v surrealistickém básníkovi Pavlu Řezníčkovi a jeho „brněnské bohémě" a mystifikacích s „demiurgem" Janem Novákem (viz Řezníčkovy Hvězdy kvelbu). Ale to už zřetelně není štatl, nýbrž jeho zliterárnění, jemuž slang a „štatlařská filozofie" jsou už jen jedním z prostředků estetického ozvláštnění.

Identita města už dávno není spojena s městským slangem a dokonce i to, čemu se říká městská mluva, se už zásluhou masmédií znivelizovalo a městský životní styl zesupermarketizoval (a v Brně i zbobycentrizoval). A právě v této chvíli získává štatl nostalgickou přitažlivost a znovuožívá, ale už jen jako svět jakýchsi bezmála galaktických mýtů a hvězdných fantasy. Což je taky možná to nejpřesnější žánrové zařazení Jelínkova Štatlu, mezi svazečky o mimozemských a fantastických civilizacích.

Duben 1996

Vyzvání na cestu

Fejetonista vás jistě nemusí nijak moc přesvědčovat o tom, že ten nejkrásnější čas v roce je právě teď, na konci jara a na dostřel léta. Noci se už povážlivě zkracují a už brzo nadejde den, kdy poslední večerní hodina se bezmála dotkne první ranní a paprsek zapadajícího slunka couvne před paprskem vycházejícího slunce a běh dne bude dlouhý jako trať maratonského běžce a noc naopak krátká a uzounká a tenká jak vosí pas té nejštíhlejší španělské tanečnice. Ale fejetonista vám to teď tady nepovídá kvůli tomu, aby vás snad oslnil nápaditými přívlastky, vždyť upřímně řečeno − „vosí pas španělské tanečnice", to není nic moc originálního. A fejetonista se vám taky hned přizná, že o letošním pozdním jaru a přichylujícím se létu se zmínil jen proto, aby vám mohl připomenout dávné časy, ano, tak nepředstavitelně dávné, kdy se Brno během letních týdnů, v době dovolených, naprosto vyprázdnilo. Dnes si už totiž nikdo nedokáže představit, jak se Brno umí vyprázdnit, když opravdu chce. Ach, nijak nespěchej, Brno, a zatlač hezky, no zatlač a vyprázdni se, Brno! Fejetonista si například pamatuje náměstí Svobody prázdné tak, že se člověk bál po něm jít, aby svými bohapustými kroky neznesvětil tu křišťálovou prázdnotu.
    Znám já křišťálovou prázdnotu,
    kde tiše hraje jazz,

tam krásné panny chodí pít
a barman není pes.

A moucha, která tenkrát bzučela kdesi u pomníku Rudoarmějce, byla slyšet až na hvězdárnu na Kraví hoře, a mohli jste jít od Bellevue až k Mamlasům a nepotkali jste živáčka. Ale dnes je Brno i v letním čase narvané lidmi jak střívko jelítkovými kroupami, a když někam opravdu spěcháte, musíte se surově proloktovávat a dav se maličko pootevře a hned se zas za vámi zavírá. Fejetonista šel tuhle nedávno od pasáže Typos jen tak přes ulici, pro pizzu nebo hamburgera, ale byl hned stržen proudem lidí a vyvrhnut až kdesi na Cejlu, u bývalého kina Radost. V tomhle smyslu se dnes brněnské léto už nijak neliší od brněnských podzimů a zim. Je to holt už velkoměsto, které nic nedá na střídání ročních dob a řídí se svým vlastním, přírodou neovlivnitelným rytmem. Fejetonista vás jistě nemusí přesvědčovat o tom, že nejkrásnější čas je právě teď, na konci jara a na dostřel léta. Ale ve velkoměstě to ani moc nepoznáte. A proto by vás taky ještě moc rád přesvědčil, že právě teď je čas vytáhnout paty z Brna. Což tak vypravit se aspoň do Bílovic anebo k hradu Veveří. Vždyť příroda, naše věčná matka, už pro vás prostřela svou zelenou tabuli anebo, chcete-li, ustlala vám zelené lože a ozvučela je zpěvem ptačí havětě. Ale ještě o něco vás chtěl fejetonista požádat: až vytáhnete konečně všichni paty z Brna, dejte prosím fejetonistovi vědět, že teď už může přejít přes ulici, pro tu pizzu anebo hamburgera.

Letní fejeton

Lidský život se počítá na léta. Ale taky na jara, anebo i na zimy: „Bylo jí teprvá šestnáct jar", „Už sedmou zimu žil ovdovělý zeman na smutné tvrzi Stadiců". A úplně výjimečně se čas počítá i na podzimky: „Kolik podzimků tě ještě čeká, můj věrný pse? pomyslel si starý hospodář, když se toho rána ubírali spolu do polí".

Ale vraťme se k létu. Letošní léto vydá totiž za několik let. V letošním létě jsou léta nahuštěná jako letokruhy v pařezu. Zas jedno tropické léto! Vyprahlými brněnskými ulicemi se prosmýkávají pruhovaná zvířata z džunglí, a když se na okamžik zastavím někde na rohu a zaposlouchám, uslyším z různých městských čtvrtí táhlé sloní troubení, které se nese vzhůru až pod klenbu z městského smogu. Přes den to ještě jde, ale když večer zabloudíš na náměstí Svobody, vzduch je stále ještě znehybnělý, že by z něho aligátoři mohli vykousávat hustá a horká sousta.

Na brněnskou čtvrť Štýřice dopadlo letos léto jak morová rána na středověký městys. Vidím obtloustlejší lidičky, jak jim z úst visí nemohoucí jazyky a oni se pohybují přidržujíce se plotů. Stánkaři na plácku před restaurací Union se stáhli pod plátěnou stříšku a tady pomalu ucucávají pivo. Dělníci, co na Renneské ulici staví novou tramvajovou trať, vůbec někam zmizli a zůstalo po nich jen propocené tílko na hromadě dlažebních kostek. Po Vídeňské, bývalé Koněvově, projíždí rakouský mražák pomalovaný ledními medvědy, vystrkujícími hlavy mezi plujícími krami, a lidi se pobožné dívají na ten důstojně projíždějící vůz jako na královskou ekvipáž anebo jako na papežskou návštěvu v autě se skleněným příklopem. A kousíček odtud, u haly Rondo, se brodí kluci pres Svratku a nemusí mít ani vyhrnuté nohavice. Letní čas nahuštěný do kontejnerů bzučícího ticha. Všechny lidské úkony se v takovém čase mění v rituály a z každého pohybu je najednou významné gesto. A nad tím vším slunce rozsvícené jak obrovská lampa nad operačním stolem.

Vrátil jsem se z autogramiády na zámku ve Vranově nad Dyjí. Nedostavil se tam ani jediný můj čtenář! Nedostavil se tam nikdo. Bylo takové dusno, že všichni mí čtenáři stáli až po krk ve vodě vranovské přehrady. Vylezl jsem tedy aspoň na zámeckou věž, odkud je vidět cíp přehradního jezera, a odtamtud zamával zpocený svým nevěrným čtenářům. Je to trapné, ale nevzali mě vůbec na vědomí.

Ach to léto...

Fejeton k polední pohodě

Veliké město. Nejspíš Brno. Hluboká noc. Spáči nasardinkovaní v činžácích, věžácích, panelácích. A hle, jak se ručičky pozvolna sunou k jitru, začínají pomalu vyzvánět budíky, rozhozené v obrovských prostorách noci. Ale napřed to snad byl jen jediný, osamělý, který kohosi naléhavě budil na ten nejrannější či snad ještě noční vlak. A tady stop. Tady teď zůstaneme. Jednou za čas se totiž stane, že ten první, osamělý budík vzbudí právě vás.

Z nějakého důvodu, který teď raději nebudeme ani vymýšlet, abychom to třeba nepřivolali, takže z nějakého důvodu jste nuceni vstát v tuhle brzkou hodinu právě vy. Dejme tomu o půl třetí v noci, co říkáte?

Budík je protivný jak smrt, ale taky stejně neodbytný, protože jste si ho nastavili daleko od postele, kam už nedosáhnou vaše šmátrající noční ruce. A tak když ho chcete tipnout, musíte se chtě nechtě vybatolit. A v tuhle hodinu jste, přiznejte si to, úplně vyvedeni z míry a bez schopnosti zorientovat se v čase nebo v prostoru. Směřujete do koupelny, ale najednou ji nemůžete najít, motáte se ve vlastních bytech jak zlatí křečci v botnících. A konečně jste v koupelně a chcete si tam rozsvítit světlo nad zrcadlem, ale ať křesáte jak křesáte, až si vzpomenete, že tam přece včera prskla žárovka a neměli jste už rezervní. Holíte se teda docela potmě a s vědomím, že se nesmíte pořezat. Ale už je to tady, krve jak z prasete, cítíte, jak vám stéká po tváři, po bradě, po krku a teď proboha spěchá až do nohavic. A co tak ještě nakvap posnídat? Čeká vás přece dlouhá cesta a nejspíš tam nebude žádný jídelní vůz. Držíte v ruce krajíc namazaný tou reklamami zbožštělou ramou, ale přesto do vás leze jak do chlupatý deky, až se kousíček ramy oddělí a vklouzne vám přeochotně do rukávu.

A konečně chytíte kufřík s utkvělým pocitem, že byste měli ještě překontrolovat jeho obsah, ale to už vůbec nepřichází v úvahu, už musíte opravdu letět.

A samozřejmě výtah zaseknutý mezi podlažími. Sestupujete rychle po schodech, ale časový spínač, nastavený na kratičký interval, vám vždycky světlo sebere dřív, než se dostanete o poschodí níž, takže několikrát málem letíte po hlavě. Konečně jste na ulici. Ale Brno v tenhle čas vypadá jak vyhaslá pec krematoria. A čekáte na tramvaj, která nejede, a v tuhle chvíli je už jisté, že vlak při nejlepší vůli nestihnete.

Pak se tramvaj přece jenom dokodrcá, ale odváží právě poslední štamgasty od Zelené žáby a musíte teď s nimi zpívat Temně hučí Niagara, temně hučí do noci...

Vlak stihnete jen díky tomu, že má taky zpoždění. V kupé je smrad jak v opičárně, okno nejde otevřít, a tak si otevřete aspoň kufřík a hned vidíte, ze je zle: chybí tam ty důležité papíry, kvůli kterým jste se vypravili na cestu. Večer jste se na ně ještě dívali a pak jste je asi zapomněli vrátit zpátky...

Tak dost. A proč vám to všechno povídám? Ach, z jednoduchého důvodu Je totiž poledne, krátce po poledni, a takové nějaké protivné noční situace jsou vám teď vzdálené jak grónské ledovce břehům řeky Svratky. Jenže, vážení, tajemství prožitku pohody a spokojenosti spočívá právě v tom, že můžete tu svou pohodu srovnávat s nepříjemnými situacemi, do nichž jste se kdy dostali, anebo mohli dostat. A všechno zlé a nepříjemné je tady jenom kvůli tomu, abyste si pak o to líp vychutnali všechno dobré, příjemné a lahodné. Takže jsem vám to povídal jen proto, abych vás o to blíž přistrčil k ohníčku polední pohody, tak vzdálené všem nočním a ranním můrám.

Veliké město. Nejspíš Brno. Hluboké poledne. A všichni sedíte ponořeni do hluboké polední pohody. A to vám ze srdce přeje váš hodný pohodný. A teď se už jen tiše a po špičkách vytratím.

Vánoční fejeton

Jak už to tak chodí, spisovatelé jsou líní jak vánoční kapři a nespolehliví jak vánoční prekavky, ale pokud jde o vánoční fejeton, žádný vám ho nikdy neodmítne napsat. Kyne z toho totiž jakés vánoční kapesné, ale hlavně, vánoční fejeton je kádinka, do níž lze beztrestně odstříknout něco přebujelého sentimentu. A spisovatelé jsou sentimentální jak staří rosomáci, Brehmem nazývaní „hyenami polárního severu Evropy".

Každý vánoční fejeton má ovšem své nezbytné ingredience: musí v něm vonět purpura a zvonit rolničky a k zahození nejsou ani vánoční siroty a ze závěje vylovený bezdomovec. I když, upřímně řečeno, vánoční fejetony jsou určeny jen k tomu, aby šly jedním svátečním uchem tam a druhým svátečním ven. Mají jen navodit atmosféru a už den po Vánocích jsou bezcenné jak opadalé jehličí. Ale navzdory tomu každý z velkých mistrů napsal někdy aspoň jeden vánoční fejeton, pokud jich nemá na svědomí rovnou celou nůši. A o jednom takovém mistrovském bych vám chtěl teď povědět.

Je tomu už čtyřicet let a byl jsem prvním rokem na brněnské filozofické fakultě. A poslední den před vánočními prázdninami nám v chvojí přizdobené aule uspořádali večer fakultních autorů. Taky jsem přispěl nějakým textíkem a vypadalo to, že taková bude úroveň celého večera, beznadějně amatérská, a jen ta předvánoční slavnostnost nás s tím dokázala smířit. Ale pak se to stalo.

Někdy v poslední třetině večera, kdy už jsme všichni špitali a poposedávali, se ke stolku s lampou se zeleným stínítkem posadil nějaký náš spolužák a začal zvolna číst text, který nás všechny lapil hned první větou a oněmělé si nás přidržel až do samého konce.

Přiznám se, že jsem nikdy neměl zvláštní paměť a čtyřicet roků je čtyřicet roků. Nepamatuji si už z toho vánočního fejetonu jedinou větu a nepamatuji si ani ten podivný a křehký příběh, který se tam odehrál při prodeji vánočních kaprů na Zelném rynku, kaprů nasázených jak okurky do kašny Parnas. A jediné, co ve mně stále přetrvává, je vzpomínka na ten silný zážitek. Kdykoliv se blíží Vánoce a já procházím přes Zelný rynk, je to jako když někdo ťukne na rozvodnou desku a spolehlivě se ve mně rozsvítí ten stolek v aule filozofické fakulty. A aniž si vybavím jediné slovo, znova mě lehounce mrazí a je to zase tady, kouzlo toho dnes už dávno neexistujícího textu i nadále trvá.

Nevím totiž o tom, že by ten vánoční fejeton byl pak někde publikovaný, a nevím vůbec nic o jeho autorovi. Ať jakkoliv napínám zrak své paměti, nejsem schopen rozeznat žádný obličej nad stínítkem té dávné lampy. Kdo to byl, že mě na celý život ocejchoval tak pustošivou vánoční nostalgií? A kdo to byl, že pozvedl tak bezvýznamný žánr, jakým je vánoční fejeton, až na literární nebesa?

A možná, napadlo mě už několikrát, že to byl vánoční Rimbaud mé generace. A po tomhle kapřím extempore se už navždy odmlčel, odvrhl literaturu a obchodoval se semtexem někde mezi baskickými nebo irskými teroristy, podřídil se tvrdé disciplíně v kosmickém programu NASA, byl jedním z nejbližších Gorbačovových poradců, kšeftoval v Thajsku s bílým masem, velel oddílu, který zajal a popravil Nicolae Ceausescu, pronásledoval lovce slonoviny napříč celou Afrikou a zemřel na rakovinnou sněť kdesi v Libyjské poušti. Tak anebo trochu jinak. Jisté je, že kdyby autor onoho vánočního fejetonu zůstal v české literatuře, vypadala by dnes úplně jinak a měla by jiné velehory a jiné nížiny. A vždycky před Vánocemi si to uvědomím. Byly napsány celé vagony vánočních fejetonů, ale jen jediný z nich má hodnotu královského safíru. Ale právě ten už nikdo nikdy nebude číst. A budete se muset spokojit s fejetony od nás, literárních trpaslíků. Hej hou, jak by řekl Kurt Vonnegut, tak už to chodí.

Vánoční pohádka z hypermarketu

Ze všech dopravních prostředků jsou nákupní vozíky těmi nejzáludnějšími, protože když projíždíte mezi regály, není většího potěšení než vozík nenápadně zaplňovat, až bolestně narazíte na dno své peněženky. Ale jak hned uvidíme, přesto nákupní vozík může sehrát kladnou roli, ba stát se prostředníkem pohádkových bytostí.

Byl kouzelný zimní den, drobně sněžilo, ale zároveň, všimněte si, svítilo zimní slunko a k hypermarketu se ze všech stran scházeli i sjížděli zákazníci a s nimi i František s Eliškou. Tihle dva totiž dostali nápad, že když teď, měsíc před Štědrým dnem, nakoupí zásoby do mrazáku, nebudou pak muset těsně před Vánocemi stát dlouhé fronty u pokladen. Jenže smůla, tentýž nápad měli i všichni ostatní. Takže když František s Eliškou naplnili svůj vozík, nezbylo jim než zavěsit se na pěkně dlouhou frontu. A před nimi stál někdo, kdo byl už na první pohled bezdomovcem, hubeným vousáčem ve špinavých teplácích a dost ošklivé růžové bundě. Elišku okamžitě napadlo, jaká musí být zima v tak nuzném oblečení, a sama se hned zachvěla soucitným chladem. A pak už je bezdomovec oslovil a požádal, aby mu pohlídali místo ve frontě, že si ještě pro něco odskočí. A zmizel mezi regály.

Na první pohled to vypadalo, že jeho nákupní vozík je dočista prázdný, ale pak se Eliška nad něj sklonila a po malém zaváhání vylovila ze dna plyšové zvířátko zabalené do celofánu. Ale sotva by někdo poznal, jestli je to ve-

verka anebo třeba žirafa, takové laciné zvířátko to bylo, a pokud se nemýlím, tak se mu kdysi posměšně říkalo pucka. Podívej, řekla Eliška a ukázala hračku Františko vi. A oběma bylo hned jasné, že bezdomovec koupil pucku pro svou dcerku pod stromeček. A aniž si dál řekli jediné slovo, Eliška položila plyšové zvířátko zpátky do vozíku a rozjela se s ním k regálu s hračkami a tam vybrala velikou pannu, ale taky krásný fotbalový míč (co kdyby měl bezdomovec ještě syna). A jak se vracela, přihodila ještě k panně a míči nějaké ovoce, jogurty, konzervy a samozřejmě taky vánoční kolekci. Ale zbytečně spěchala. Fronta sice zatím poskočila, ale pořád ještě nestáli u pokladny a po bezdomovci ani vidu ani slechu.

František s Eliškou usoudili, že bloudí s poslední pětikorunou někde mezi regály a jen se tak vystavuje hladovým pokušením. Myslím, že se půjdu po něm poohlédnout, rozhodl František a taky vzal s sebou vozík s plyšovým zvířátkem a za chvíli se zas vrátil, sice bez bezdomovce, ale vůbec ne s prázdnou, naopak, vozík byl teď už vrchovatý.

A pak přišli na řadu, zaplatili zboží z obou vozíků a stáli v prostoru za pokladnou a čekali. Avšak neobjevoval se. Nu, jeho škoda, řekl František. Načež obsah vozíků přeskládali do kufru svého vozu a odjeli zas domů.

Doma pak otevřeli kufr a odnášeli nákup nahoru do mrazáku, až se dostali na dno kufru, a tam leželo ošklivé plyšové zvířátko, veliká panna a fotbalový míč. Ale František s Eliškou neměli děti, a tak by jim to bylo k nepotřebě. Chvíli nad těmi hračkami rozpačitě postáli a pak, aniž si museli něco říkat, odnosili zas nákup z mrazáku zpátky do kufru a František se ještě ten večer (kdo rychle dává, dvakrát dává!) rozjel až na druhý konec města, kde byl azyl pro bezdomovce.

Utekl měsíc, co zbýval do Vánoc, a v předvečer Štědrého dne měla Eliška pro Františka překvapení. Vzpomínáš si ještě, jak jsme před měsícem potkali v hypermarketu toho bezdomovce? A jaks pak večer odvezl náš nákup Armádě spásy? A jak ses pak vrátil a ještě jsme stihli čtyři hokaidské pozice? Jo, tentokrát to konečně vyšlo. Myslím, že to bude kluk.

Bodejť by se nepamatoval. Vrátil se až pozdě večer, protože ten azyl byl až na druhém konci města a všude jako vždycky zácpa a přes centrum jel jen krokem. Ano, dlouho a dlouho se vracel. Takže vida, kluk.

Víš, jsem si jistá tím, že v tom má prsty ten náš bezdomovec z hypermarketu. Tak to bych rád věděl, co tím chceš říct, zlobí se naoko František. Ale přitom moc dobře ví, jak to Eliška myslí. Byl to totiž nejspíš kouzelný bezdomovec, který jim za to, že otevřeli svá lidská srdce, splnil přání, přikouzlil šťastné početí. Ale Eliška ho hned opraví: Ne kouzelný, ale kozelný bezdomovec! A oba se plácají do stehen a smějí té slovní hříčce: Kozelný bezdomovec! Kozelný bezdomovec!

A směju se s nimi. Za tenkou stěnou, která dělí naše byty. Ale musel jsem už slíbit Elišce, že se do roka přestěhuju někam až na druhý konec města. Aby František stačil zapomenout mou sousedskou podobu dřív, než mu vyroste syn. A vy byste měli to srdce pokazit tak krásný vánoční příběh?

Moji kapři

Někdo může mít pocit, že o vánočních kaprech už bylo řečeno a napsáno všechno a že už dávno není co dodat. Ale ve skutečnosti je to s nimi jako s mystickými zážitky. Existují o nich celé teologické knihovny a každý z nás vyslechl bezpočet rétorů, kteří dokázali kázat o mystice nekonečné hodiny, ale jediné, co platí, je naše vlastní zkušenost s Bohem. Anebo s vánočními kapry.

Když jsme ještě bydleli na Běhounské ulici, kupovali se vždycky týden před Štědrým dnem dva velicí kapři. A celý ten týden se pak doma nikdo nekoupal, ale zato jsme špinaví a zasvrabení klečeli zbožně u vany. Po ten týden byli kapři hájenými domácími zvířaty se všemi právy a výsadami domácích mazlíčků, avšak s jedním zvláštním ustanovením, jež nám zakazovalo kapry jakkoliv pojmenovat nebo oslovovat. To by pak totiž znemožnilo jejich krvavé zmasakrování na konci týdne.

Děda kapry nejen masakroval, ale také kupoval a přinášel. Nosíval je ze Zelného rynku, což k nám na Běhounskou nebylo vpravdě žádné dlouhé vandrování, ale přesto se vždy na jejich přepravu pečlivě vybavil. Velká stará kožená aktovka nesloužila po celý rok ničemu jinému a měla své čestné místo v jednom regále ve sklepě. Do aktovky dával děda mokré hadry, do kterých pak kapry zabalil. Dále bral s sebou kus chlebové střídky a plácačku rumu. A než kapry zavinul do mokrých hadrů, strčil každému do tlamy cumel: ano, správně, rozumí

81

me si, ten kousek chleba, který předtím namočil do rumu. A chléb s rumem byl zas tak veliký, že ho kapři nemohli spolknout a jen z něho nasávali rumové výpary, až byli za chvilku v limbu.

Otázkou samozřejmě zůstává, proč děda věnoval tolik péče kapřímu transportu, když to bylo ze Zelňáku na Běhounskou slabou čtvrthodinku? Ach, z jediného důvodu. Někdy se totiž stalo, že děda potkal na Zelném rynku kamaráda z dávných časů, a tak s vědomím, že je o kapry dobře postaráno, bloncal s aktovkou pod paží po Brně a dokonce si mohl zajít někam do hospůdky. A představuju si, že seděli s tím dávným kamarádem v nějaké knajpě a aktovka s kapry se opírala o nohu židle, a zatímco ti dole byli už v limbu, ti nahoře se do něho teprve usilovně přepravovali. A tehdy se také výjimečně stávalo, že se děda vrátil až hodně pozdě večer. Ale nikdy se nestalo, že by snad přišel bez kaprů, že by je při tom bloncání po Brně někde zapomněl.

Jednoho krásného mrazivého dne o loňských Vánocích jsem šel od Zelného rynku po Masarykově k náměstí Svobody a najednou jsem se začal rozhlížet, jestli tam třeba neuvidím nějakého takového dědu, co nese domů kapry. A pak mi to došlo, bác, jak rána z hmoždíře! Vždyť to já jsem ten děda! Vždyť jsem už dávno v jeho věku! Vždyť to já bych měl teď nést ty kapry! A jak to že nenesu?

Co jste zažili krásného o vánočních prázdninách? ptá se nás paní učitelka v druhé obecné a hned zvedám ruku a říkám, že kapří svatbu. Děda totiž tentokrát přinesl kapra a kapřici, a tak jsme je u nás ve vaně oddali. A pak jsem si nastavil budíka a v černočerné tmě jsem se šel podívat na jejich svatební noc. Svítil jsem si do vany baterkou a viděl jsem, jak kapr okotil tu kapřici. Anebo se říká otelil kapřici? Kratochvile, zavři laskavě pusu, nebo tě taky okotím, praví paní učitelka. A tak se už v raném věku dovídám, že ne všechna má poselství světu budou vždy vlídně a se zájmem přijata.

Vánoční vlak

Po trati mezi Moravským Krumlovem a Brnem pendluju už třicet roků a za ten čas se zde toho změnilo tolik, že bych to teď ani nechtěl vypočítávat. Zmíním jen, že od někdejších „dřeváků", vagonů s dřevěnými lavicemi, jsme postupně přešli až k těm, co se otvírají na dotek světelného bodu, avšak někdy se neotevřou ani za prase a musíme pak kalupem přes celý vagon až k dalším dveřím. Ale neměl bych opomenout ani slavný ivančický Eiffelův viadukt, který nám před pár roky odnesl čert a na místě nechal jenom takový, s prominutím, čertovský pšouk. Zato ale ze všech staničních budov po celé trati zmizely staniční rudé hvězdy a zůstaly po nich jen do očí bijící pěticípé fleky, snad jakási lustrační razítka?

Jedno se však vůbec nezměnilo: vánoční vlaky.

Jen málokterý rok si nechám ujít příležitost jet vánočním vlakem. Čímž teď míním vlak o Štědrém dnu. V Brně ještě na doraz běží vánoční trhy a lidé tam u stánků popíjejí svařené víno nebo grog a jakýsi chlapík, co v levném výprodeji nakoupil balík knih, se mi teď věší na šos: Právě vyšly paměti Laury Darifaxové, dáreček pro vaši paničku, vášnosto!

Na brněnské šestém nástupišti je z mého vánočního vlaku přistaven teprve vagon a stojí tam sameček sám jak opuštěný dárek pod lakotným stromkem. Každý rok se tady na peroně setkávám s týmiž pasažéry, anebo se mi jen zdá, že jsou to pořád tíž lidičkové? Kývnou mi na pozdrav, jako by se scházela velká mariášová společnost. A to už nám přišťouchli i další vagony a už jsme komplet a první večerní hvězda Štědrého dne, ta, při níž se už mají ponořit lžíce do rybích polévek, nás zastihne na trati, plný vlak betlémských opozdilců.

Vánoční vlak je nejcourovatější ze všech couráků, stavíme u každé zmoly, z níž se vždycky někdo vynoří a kdosi další mu rychle podává balíčky, tak dost, zbláznili jste se, už tady není k hnutí, už jsme tu zazděni jak ten černý kočour v Pocovô povídce! A tady má kdosi cosi zabalené do zvlášť dlouhého vánočního balíku a na rybářský prut je to trochu veliké, a tak už mě nenapadá nic jiného než bidlo, kterým převozník odpichuje svůj prám. A chvíli se bavím tím, že hádám, co je v těch dalších balících. Sedací vana? Motorikša? Secesní bronzový kůň?

A teď už je zase ta chvíle: mezi Silůvkami a Moravskými Bránicemi vytáhne někdo housle a začne teskně hrát. Kdyby harmoniku, ale on housle! Ne že bych ho snad viděl (je tady stále ta zeď z balíků), ale je to živý, čistý, chvějivý zvuk. A pak mne napadne, co když je tenhle vlak vyjmut z řádu času a každým rokem se jen znova a znova pokouší — obrazně řečeno — strefit do ouška jehly. A najednou vím, že se mu to letos povede. A opravdu, místo do stanice Moravský Krumlov vjíždíme do dlouhého tunelu. Dál teskně zní housle, a není to tunel, ale trávicí trakt velkého vánočního kapra.

Chvatně se dívám na hodinky. Svatvečer už pokročil a teď už přece nebude nikdo zabíjet a porcovat kapry! Ale zmýlil jsem se.

Koukej, mami, je tady takovej panáček, děsně podobnej jednomu spisovateli, co jsme se o něm zrovna učili.

A s kapřími vnitřnostmi mě zlostně hodí kočce.

Halelujá, přátelé!

Brno ironické

A co?

Dobrý den, Brno, a jak se máš? ptá se František Halas
ve sbírce A co? Tož blbě, básníku, je to všechno miglé jak
shnilé krumple. Halas býval v šedesátých letech v Brně
(především zásluhou Ludvíka Kundery a Jana Skácela)
básníkem erbovním. Ale pak nastaly časy, v nichž „prasa-
ta kšeftů i slovo zpančovali" a ke slovu se dostali přizpů-
sobiví podnikavci, brněnští kulturtrégři.
Brno je mé rodné město a bezmála všechno pro mě
důlčžité se odehrálo v jeho zdech. Brněnská nároží mám
označkovaná vzpomínkami, je to rajon mého života, a kdy-
koliv se sem vracím z pekelcování místy, kam nepatřím,
cítím hned, jak se cosi ve mně zalyká, a chci věřit, že ne-
zalykám se to jen brněnským smogem.
Přímo v centru města je tak jedinečný snový prostor,
jako by utekl z Chiricova metafyzického obrazu. Je to
plácek, kterému zatím nikdo oficiálně nepřiznal statut
náměstíčka, i když na starém Komůrkově plánu Brna na-
jdete v těch místech jakýsi Römerplatz a pojem Římské
náměstí stále znova ožívá (teď ho například najdete i na
orientačních panelech ve středu města). Pamatuji se, že
v šedesátých letech byla na Římském náměstíčku malá
zurčící fontánka, trávník, tři lavičky a dva javory a úhled-
né fasády historických domů s reliéfy jakýchsi erbů a slu-
nečními hodinami. V Mikuláškově sbírce Svlékání hadů
jsou verše okouzlené tímto snovým prostorem. Ve sku-
tečnosti je to ovšem jen kratičká a před vyústěním do Jo-

sefské trochu víc rozšířená Františkánská ulice, jako když šlápnete na zahradní hadici a ta se vyboulí jak smrtelná embolie. Bydlel jsem tam deset roků (1975–1985) a náměstíčko se stále víc podobalo té smrtelné embolii, před očima mi stárlo a pustlo jak zchvácené rychlými úbytěmi. A jestli sem v polovině sedmdesátých let občas ještě zabloudil Mikulášek, aby si Römerplatz znova ohmatal dřevěnými tykadly svých berlí, a herečka Vlasta Fialová sem chodila venčit psa a malíř Jánuš Kubíček se tudy ubíral do svého ateliéru, jestliže tedy v sedmdesátých letech o náměstíčko občas ještě někdo zavadil – počátkem osmdesátých let jako když utne. A když pak malíř Jan Zuziak, který zde také léta bydlel, přestal náhle malovat, to už mi bylo jasné, co se stalo: Římské náměstí se octlo v „mrtvé zóně". Výdrž už měli jen močopudní štamgasti z okolních hospod a bleší trh. To byl totiž takový policajtský šprým. Dlouhé týdny bleší trh hlučel a nikdo se o něj nestaral, jako by byl ukrytý pod slepičími křídly policajtské tolerance, a pak zas švihem přihučely hlídkové vozy a hermeticky uzavřely prostor na obou koncích a proběhla „akce odblešení" na normalizační způsob.

Dne 3. července 1983 (u příležitosti stého výročí Kafkova narození) jsme Římskému náměstí přidali ještě další aristokratický titul: náměstí Franze Kafky. Stalo se tak na malém happeningu, jehož účastníci (Jan Zuziak, Zlata Zumrová, Jaroslav a Marie Blažkovi, Jan a Sabina Kratochvilovi a já) se pak fotografovali před cedulí s označením náměstí, opřenou zkusmo v různých výklencích, jimiž bylo tenkrát náměstíčko poseto. A když jsem pak o několik dní později listoval ve Stavebním vývoji Brna od Hálové-Jahodové, zjistil jsem, že naše náměstíčko stávalo kdysi v samém srdci brněnské židovské čtvrti, čili i takhle jsme se strefili naprosto přesně. Což mi navíc potvrdil v zimě roku 1988 mladý slovenský spisovatel Martin Šimečka: Brno mu přišlo jako nejchmurnější z měst, která kdy viděl, a svou beznadějnou ponurostí přímo kafkovské město, které ví všechno o kafkovských úzkostech, ale bohužel vůbec nic o subtilní, zastřené kráse kafkovského světa.

Na jaře roku 1985 zakoupily domek na Františkánské 10, kde jsem bydlel, Jihomoravské drůbežářské závody, zakoupily ho se záměrem zřídit zde prodejnu drůbežích specialit anebo sklady s mrazicími boxy pro velkopavlovické brojlery. Ale nakonec se na dlouhý, předlouhý čas spokojily tím, že malíře Zuziaka a mě a další nájemníky vystrnadily, všechny vchody zatloukly prkny a prázdný dům nechaly doslova zcepenět. A taky další domy na náměstíčku zakoupil čertvíkdo, lidi vystěhoval a okna zručně vymlátil. V druhé polovině osmdesátých let tak někdo se smyslem pro cynickou pointu dovršil proměnu snového prostoru ve zlý sen a udělal z idylického náměstíčka v centru města doslova veřejný smetník, kdy i venčeným psům bylo šoufl.

Vždy jsem viděl Římské náměstí také jako zajímavou divadelní prostoru. Má asi tu velikost římského atria či jihoamerického patia, tedy jeviště spřaženého s hledištěm, ideální letní prostor například pro HaDivadlo. Bohužel se tam divadlo nikdy nehrálo, vyjma toho normalizačního, policajtského, a v osmdesátých letech působilo Římské náměstí už jen dojmem brutální experimentální scény, v níž převažují propadla, bořidla, strhávadla, tratidla, močidla, ničidla, strupadla a puchřidla. A vzpomínám si taky, jak v tom čase kroužily nad Brnem helikoptéry, podobné supům nad tlející mršinou města. Z pohodlné výše líně se vlekoucího vrtulníku vypadalo Římské náměstí nejspíš jako plivátko uložené přímo doprostřed brněnského historického jádra. Jenže tím plivátkem bylo tenkrát celé Brno. Proto také mluvím o Římském náměstí jako o metafoře, přesněji synekdoše. Části, která tu zastupuje celek. Příběh Římského náměstí je mi vždy i historií poválečného Brna.

Stačilo se tenkrát jen projet tramvají z jednoho konce Brna na druhý a hned jste byli svědky deprimujícího defilé města, kde stále ubývalo stromů a přibývalo jam, ohrad a věkuvěčných lešení, vyhřezávaly uzlovité nádory a rostly zhoubné novotvary, a pokud se někde zároveň zázračně vylouplo zrestaurované secesní průčelí, o dvě ulice dál už byl zas čerstvě havarovaný dům, v němž narušená statika rozevřela ošklivou puklinu, a ze všech stran šeredné ohrady z vlnitého plechu a zdi podepřené nahrubo přitesanými trámy, rozbitá okna, promáčknuté střechy, domy prodřené až na plesnivějící maso cihel. Stačilo nahlédnout do Křenové, Starobrněnské, Radnické, Josefské, Minoritské a dalších ulic přímo v centru historického jádra a jako byste jukli do zákulisí s pobouranými praktikábly anebo přímo do střevního traktu. A stačilo zajít si na Úvoz, na Cejl (tehdy ovšem Gottwaldovu třídu), k Lužánkám a rozhlédnout se po Konečného náměstí anebo dokonce i po náměstí Svobody: to, co bývalo chloubou Brna (a koneckonců i chloubou středoevropského prostoru), zástavba z konce 19. století s jejími historizujícími slohy, obrovské městské paláce, novorenesanční a novobarokní (ale i novorománské) a později secesní domy, stálo tam všude jak úporně zdecimovaná stáda zasvrabených slonů. Všudypřítomný puch provinčnosti a nápadná neúcta k historické kontinuitě. Troufám si tvrdit, že žádný jiný hmotný prostor tak věrně nezrcadlil duchovní marasmus normalizačního dvacetiletí. Brno desolato, marasmus programového pustošení.

A pokud hmotná podoba města může být pomníkem čehosi, tak tohle Brno hodně dlouho bylo a vlastně ještě stále je monumentem zplaněných nadějí. Protože i Brno nepochybně mělo svůj hvězdný práh (a jeho symbolem je několikametrový secesní anděl na průčelí brněnské Vesny na Jaselské ulici). V třicátých letech se například zdálo, že už je málem na dosah velkého snu vytvořit městský celek, jehož estetická působivost se stane součástí každodenního života. Bylo v tom čase — zásluhou celé plejády vynikajících architektů a urbanistů — jedním z nejvýznamnějších center avantgardy, a netolika architektonické. Avantgardní radikalismus, vklíněný do toho, co bych nazval moderním tradicionalismem, funkcionalismus propojený se zástavbou historizujících slohů. A o padesát roků později, v osmdesátých letech, bylo historické jádro Brna vyhlášeno městskou památkovou rezervací, připomínající však nejspíš narychlo zřízenou zastavárnu. Město ve frcu! Našli jste zde skoro všechno, pár opravdu hezkých barokních kousků, ale i solitéry moderní architektury (vila Tugendhat, stavby Bohuslava Fuchse), však bezmála všechno tak utahané a ukoptěné!

A tak není divu, že v takovém městě má své kořeny i „moravský separatismus". Ale provinčnost Brna si na rozdíl od ustálených představ troufám vidět nikoli jako následek srážky s trajlerem pragocentrismu, ale jako čistě naši, brněnskou záležitost. Vždyť každou generaci vstane tady nový sled brněnských panduláků, jejichž arogantní křik visí nad Brnem co všepřekrývající smog. A kdykoliv se v Brně objevila nějaká osobnost, brněnští panduláci si ji pospíšili vypudit anebo zbezvýznamnit. Tohle dosud funguje spolehlivě.

A chci tím snad říct, že devadesátá léta a konec minulého století nepřinesly změnu a že takhle vypadá i současné Brno? Už první váš krok po dnešním Brně by mě v takovém případě usvědčil z omylu. Ale já přece dobře vím, že už na první pohled je to změna základní. Ale právě že jen na první pohled. Když si totiž dopřejete dosti času, abyste si Brno důkladně prohlédli, abyste v něm aspoň nějaký pátek žili, zaznamenáte spoustu paradoxních kontrastů. Ano a samozřejmě: nové, postmoderní budovy, celá řada opravených paláců a domů, barevné partery a atraktivní proměny některých prostor. Ale na druhé straně také jiné prostory, které dál zůstávají znehybnělé, jakoby zakleté, a z toho zas mnohé chaotické a nenapravitelně zbrklé změny. Například ten čím dál tím víc zpustošený secesní rožák na Cejlu a taky celé dlouhé fronty otřískaných secesních domů na Úvoze a poblíž Lužánek a vytržená „velrybí stolička" na náměstí Svobody a monstrózní staveniště multiplexu, umístěného bezohledně nejenže do památkového jádra, ale provokativně i co nejblíž Památkového ústavu, likvidace kavárny Opera a původních interiérů hotelu Avion, zánik cukrárny U Tomana a neschopnost obnovit tak slavné brněnské podniky, jakými byla například kavárna Savoy (a přitom její interiér je zachován takřka v původní podobě), ostuda se Špalíčkem a zhmotnělá bezradnost v prostoru kolem Zvonařky a na Mendlově náměstí, polovičatost, urážlivé kompromisy, superhumpoláctví a speciální sorta panduláků, někdejších normalizačních kulturtrégrů pod novými prapory. Kletba provinčnosti ještě stále nebyla z Brna sejmuta. Těch čtyřicet komunistických roků tady ještě stále dál sedí jak prázdný sokl po normalizačním pomníku. A podnikavá přizpůsobivost je i nadále profitující brněnskou profesí.

Představil jsem Římské náměstí jako metaforu, synekdochu, část za celek. A to pořád dál platí. Dům na Františkánské 10, kde jsem tenkrát bydlel, byl sice zbourán a znova postaven (jak jsem předpověděl v Medvědím románě), ale má kupodivu charakter jakési umělotiny, náhražky, luxusní protézy. Jsou zde sice parádní obchody s butiky, ale ten jedinečný prostor náměstíčka, ano, ten náprstek věčnosti, uložený přímo do středu města, mi stále ještě připadá zmarněný. A proto zatím právem okupovaný stánkaři. A tak s celým městem. Před válkou bylo Brno jedním z nejslibnějších center architektonické avantgardy a vypadalo to, že se z něho vyloupne opravdu moderní velkoměsto, a to se jaksi dodneška nestalo. Brno je nesporně městem budoucnosti, jenže oříšek, v němž je ta budoucnost zakleta, dosud nikdo nerozlouskl. Takže co? Ale mě se neptejte. Jsem pouhý fejetonista, písklavý radar mezi paneláky, není mi odpovídat, ptám se. Abych tak skončil, jak jsem začal. Parafrází básníka.

Květen 2001

Jak namalovat obraz Brna

Pokud opravdu chcete namalovat obraz Brna, a to se vším, co k tomu náleží, pak vás musím požádat, abyste napřed učinili několik předběžných kroků. A začněte tím, že si v Brně vynajdete dva mladé lidi, nejlépe jednoho muže a jednu ženu. Volba je zcela na vás a měli byste vybírat nechci říct opatrně, ale rozhodně uvážlivě. Dále byste si měli zvolit brněnskou čtvrť, v níž se ti dva setkají. A zase je docela na vás, jestli to budou Žabovřesky se sousedsky přítulnými zahrádkami či Masarykova čtvrť s už trochu vyčichlým luxusem bohatších středních vrstev, začouzený Komárov nebo malebné Husovice, hrdé a soběstačné Královo Pole, na periferii vysunuté Židenice anebo k lesům nakročené Pisárky. A jestliže už máte zvolenou čtvrť, usaďte tam ty dva a dopřejte jim proboha čas. A když se tak stane a ona nakonec snese vejce, vystřídají se oba na jeho vysezení. Až vy jednoho dne zaťukáte zevnitř na skořápku a pomohou vám ji prorazit.

A vida, jste venku. Ale ani teď s ničím nepospíchejte, protože to, co vás dál čeká, by nemělo být na žádný pád uchvátané.

Váš život se nebude zpočátku nijak významně lišit od života kolem. V tomhle smyslu nečekejte vůbec žádné milosti, nic se vám nevyhne a nebudou vám poskytnuty žádné úlevy. A je dobré hned od počátku vědět, že stokrát dostanete chuť ze svého města utéct. Brno je město, na němž leží kletba provinčnosti, a když se ohlédnete, uvidíte básníka, co si vsunul hlaveň co úst, a jiného, který se oběsil v sotva dostavěném domě, a malíře, co si podřezal žíly, a tucty malířů a básníků, kteří odtud utíkali a utíkají jak před morovou ránou. A když v Brně pohlédnete vzhůru, nemůže vám ujít, že výhružná všemoc průměrnosti zde prorůstá jak dřevomorka oblohou. Ale přesto prosím neodcházejte. Jenom když vytrváte, budem moci přejít k další fázi.

Takže smím vám teď už prozradit, že ve skutečnosti nebudete potřebovat vůbec žádné plátno, ani barvy, ani štětce? Brno je na první pohled naprosto bezvýznamné město, navíc obezděno ochranným valem ošklivosti, a proto dost dlouho trvá, než si kdo uvědomí, že se pod tím vším skrývá cosi, co po vás bude chtít daleko víc než jen nějaké malířské řemeslo.

Už rozumíte tomu, proč bylo tak důležité, abyste si od samého počátku uhlídal všechno, co se vás týká? Abyste si uvážlivě vybral i své rodiče? Vždyť váš úkol nezačal snad tím, že jste se kteréhosi rána rozhodl namalovat město, ale to zadání předcházelo vašemu narození, početí i setkání vašich rodičů, to zadání předcházelo prvnímu lehkému doteku něčeho s něčím. Brno se totiž od všech ostatních měst liší tím, že je městem, které se bude sytit vaším tělem a vaší krví, a to vy jste ten materiál, s nímž musíte pracovat.

Napřed vzbudí pozornost překvapivá proměna, která se přihodí vaší pohozené rukavici. No kurňa! leknete se, než si na to začnete pomalu zvykat. Ale jak se už jednou dal ten proces do pohybu, už ho ani vy nedokážete zastavit a nikdy si už nebudete jistý, zda to, co právě zakoušíte, je náhlá příhoda břišní anebo pohyb výtahu domovní šachtou. Na těle vám naskočí boule úředních budov na Žerotínově a Šilingrově náměstí a tam, kde stávala kavárna Bellevue, bude se nadýmat váš obří palec, ten mohutný fragment, žijící si svým vlastním životem. Neopovažte se zakašlat, jestli nechcete vzdušnými nárazy povyhazovat hosty z bistra na Cejlu, a ten tik, co vám občas škubne tváří, je jen trolejbus projíždějící přes Solniční. Hluboko v kazematech Špilberku koná vaše ledvina svou zarputilou práci a vaše noční sny se ráno v podobě hejna holubů rozletí obesírat náměstí a váš mlsný jazýček se ponoří do přehradní nádrže, aby ze dna vylovil zapomenutou olivu.

A jednoho rozmrzelého jitra vás bude sviňsky bolet hlava, jako kdyby se v brněnské teplárně, nedej bože, znova schylovalo k výbuchu, v kloubech vám zapraská přetíženými mostními pilíři a kamenný Mamlas zastříhá vašima ušima a na billboardu za nádražím se rozevře vaše oko. A tehdy pochopíte, že všechno, co se mělo stát, už se stalo a dílo je u konce. Tu stáhněte si kalhoty, podepište se na jednu ze svých půlek a jděte rychle od toho.

Brno je Brno je Brno

V těchto dnech mi z deníku Süddeutsche Zeitung poslali knížku, která vyšla v jejich edici. Jmenuje se Die zweite Stadt, Druhé město, a provází nás řadou tzv. druhých evropských měst, tedy těch, která žijí ve stínu metropolí. Tak se zde setkáváme (v reportážích a velkých barevných fotografiích) například s Barcelonou, Krakovem, Birminghamem, ale i Petrohradem, Antverpami a Ankarou. A taky s Brnem. A já do té knížky vstoupil jak slepý do houslí, abych obměnil známé rčení. Vyšly mi totiž německy dva romány odehrávající se v Brně, takže když v mnichovské redakci uvažovali, koho oslovit jako průvodce Brnem, rozhodli se omylem pro mě. Nedokázal jsem dosti rázně odmítnout, přestože moc dobře vím, že mezi literaturou a skutečností je propast, a kdyby se někdo chtěl podle mých románů zorientovat v Brně, skončil by nevím říct kde. Z Mnichova tedy přijel redaktor Daniel Brössler, abych ho provedl Brnem. Jak jsem se toho nakonec zhostil, nechť posoudí jiní. A já teď chci využít příležitosti, abych řekl to, co bych německým čtenářům nikdy nesvěřil, neboť je to určeno jen pro domo sua. Nuže, německým čtenářům bych nikdy nesvěřil, že Brno je metropolí provinční pokoutnosti a hlavním městem malosti, ano, přímo svatyní obskurity, jejímž přísným božstvem je Marsyas, ten satyr sedřený z kůže, jež pak vlaje nad mým městem jako jeho legitimní vlajka. Spisovatel Milan Šimečka napsal kdysi v Konci nehybnosti: „Vždycky si vydechnu, když vlak opouští brněnské nádraží. Mám pocit, že opouští zónu, která mi utkvěla v paměti z Tarkovského filmu Stalker." Jeho syn Martin k tomu dodal, že Brno je svou beznadějnou ponurostí přímo kafkovské město, mnohem víc než Praha. Souhlasím, tím spíš, že kafkovská atmosféra zde není zastřena žádnou magickou krásou a nemá charakter turistického artiklu. Ale proč tedy k Brnu tak lnu? Redaktor Brössler cituje ve své reportáži můj výrok, že „déle než měsíc se bez Brna neobejdu". Autorem barevné fotografie provázející reportáž je novinář Ladislav Plch, který žil přes dvacet roků v emigraci, celou tu dobu sužován neuhasínajícím steskem po Brně. Ale i v tom je samozřejmě hodně kafkovského. Brno má drápky, jimiž si vás bolestně přidrží. Na vojně jsem se kdysi setkal s rebelem, kterému vojenský prokurátor napařil léta kriminálu. Byl to rebel — brněnský štatlař — a jako největší újmu cítil, že už tak dlouho nebyl ve svém Brně. My Brňáci jsme všude jinde jak ryby vyhozené na břeh. A proto buďte tak hodní a jdouce kolem hoďte nás nazpět. Ale to jsou důvěrnosti, které bych žádnému zahraničnímu reportérovi nesvěřil. A nikdy bych se při takové příležitosti nedovolával Franze Kafky. A když už někoho, tak Gertrudy Steinové: Brno je Brno je Brno je Brno a sotva k tomu co dodat.

Březen 2001

Tajné dítko císařovny

Zásluhou ošklivého kádrového posudku jsem do svých padesáti roků nesměl překročit hranice své zadrátované vlasti. Ale když pak krátce po mých padesátinách ostnaté dráty přestříhali a srolovali a najednou byla cesta volná a nic mě už nedrželo, jen jsem zmateně hleděl na ty zvednuté závory. A trvalo mi další tři roky, než jsem sebral odvahu hranice poprvé překročit. A dodnes je to pro mě trauma. Má žena by mohla povídat, jak vždycky do poslední chvíle zoufale hledám záminky, jen abych nemusel vycestovat, a jak se každou noc před zahraniční cestou probouzím, posadím v posteli a v hrůze čekám, kdy na zdi vzplane nápis Mene tekel ufarsin!

Kdysi jsem se setkal s člověkem, který prožil dlouhá léta v maličké vězeňské cele a pak i na svobodě chodil pořád dokolečka a už jen věrně opisoval půdorys té kobky. A taky si vzpomínám, že hned po válce přijel do Brna kočovný kabinet kuriozit a tam jsem uviděl človíčka, jenž měl stále přes oči černou pásku, protože jako tajné dítko jakési císařovny strávil většinu života ukrytý v temné komodě a paprsky světla by ho teď oslepily.

A když se pokouším porozumět tomu, proč mi i dnes, jedenáct roků poté, co se i pro mě otevřely hranice, činí stále potíže je překročit, shledávám tu přinejmenším pět důvodů:

A tím prvním je i nadále přetrvávající strach, že přese všechno mě na hranicích někdo zadrží. A že mě už jede-

101

náctkrát pustili ven? Ale to přece vůbec nic neznamená, to jen jedenáctkrát zkoušeli, jestli dokážu odolat pokušení, a až teď pojedu podvanácté, najednou někdo vystoupí ze stínu a kývne ukazováčkem, jen pojď, chlapče, tak ty sis myslel, že nás vypečeš?!

Druhým důvodem je, že jsem za tak dlouhý čas strávený v zadrátované vlasti přestal věřit v existenci tamtoho světa za hranicemi. A že jsem tam už párkrát vyjel, zase nic neznamená. Co když tentokrát vjedu do prázdna, vpadnu do samého jícnu nicoty?

A třetí důvod je praktický. Protože jsem odedávna s jistotou věděl, že se nikam nikdy nedostanu, pohrdl jsem znalostmi jazyků a nejsem teď na takovou cestu vybaven.

A čtvrtý důvod konečně je ten, že svět tam za hranicemi ve mně probouzí nezvládnutelnou úzkost. Vždyť mě před tím světem venku po celý život pečlivě chránili, a tak jsem si chtě nechtě na „ochranu" zvykl a teď mi chybí.

Však pátý důvod je, řekl bych, nejzlomocnější. Když jsem totiž po celý život nesměl opustit tuhle zemi, sžil jsem se s pocitem sladkého mučednictví. Ano, jsem tajný syn císařovny, uzavřený navždy v temné komodě, a cítím, že mé nevycestování bývalo jakýmsi mým zvráceným privilegiem, mým výstředním šlechtictvím! A když se ho teď dobrovolně vzdávám, co mi zbude?

Vždyť ty seš živoucí metafora! zaradoval se můj kamarád psycholog, když to vyslech. A opravdu. Odedávna totiž reaguju na zapeklité situace svého národa nějakým tím metaforickým chováním, totiž neurotickými příznaky, které v metaforické zkratce vypovídají o současném stavu českého národa. Když například národ v sedmdesátých letech prudce ztichl a po dvacet roků úporně mlčel, začal jsem napřed zadrhávat a koktat, až jsem taky docela zmlkl a trpěl po dvacet roků tím, čemu se v lékařské terminologii říká „dočasný mutismus" a co jako zázrakem pominulo, jakmile z mé vlasti odtáhly „dočasné armády". A teď zase, když se můj národ pořád jaksi zdráhá pořádně vykročit do Evropy, činí mi zas potíže překročit hranice. A vždyť i těch mých pět důvodů má obecnou platnost:

Nejsme s to pořádně vykročit do Evropy pro náš stále přetrvávající strach, že přese všechno je náš osud i nadále v rukou všemocných mafií, starých i nových totalitníků, proti kterým budeme navždycky bezmocní.

A druhým důvodem je, že už prostě nedokážeme uvěřit v existenci jiného světa než toho řízeného výhradně jen těmi nejhoršími úmysly. Tady má svůj původ i náš euroskepticismus a nedůvěra ke všemu cizímu, nečeskému.

Za třetí: nejsme vybaveni na cestu do Evropy, protože za těch čtyřicet komunistických roků jsme se naučili pohrdat vzděláním a slovo intelektuál dodnes považujeme za nadávku.

Za čtvrté: prostor svobody v nás probouzí nezvládnutelnou úzkost. Čtyřicet roků nás přcd svobodou pečlivě chránili a většině z nás se teď už zas stýská po státním paternalismu.

A konečně za páté: jakmile jednou definitivně vkročíme do Evropy, ztratíme navždy svou aureolu mučedníků a nebudeme už tím zapíraným a stále znovu všemi zrazovaným dítkem matky Evropy, dítkem zavřeným na celý život do tmavé komody, ztratíme tak své zvrácené mučednické privilegium a budeme už jen obyčejským demokratickým a svobodným národem...

A tak si ještě chvíli povídám s kamarádem psychologem o metaforické schopnosti postihnout i předjímat v neurotických příznacích osud národa. A možná, vysvětluje, že vy neurotici se můžete za jistých okolností stát jakýmsi médiem celospolečenských strastí i bolestí. A já si tudíž uvědomuju, jak strašlivý kříž to nesu, když jsem zároveň neurotikem a zároveň příslušníkem českého národa! A jak závidím například Woody Allenovi, který si je klidně jen neurotikem, aniž by přitom musel vláčet na hřbetě nějaký národní úděl...

Ale už po chvíli se mi bolest rozplývá v novém slastném zážitku mučednictví. Och, jak je sladké být spisovatelem, neurotikem i příslušníkem českého národa! A znova zvedám opovrženou korunu mučednictví, nasadím si ji jak apartní klobouček, elegantně smeknu a odcházím do svých traumatických snů...

Bláznovy zápisky

Vracel jsem se nočním rychlíkem z Prahy do Brna, seděl jsem sám v kupé a vypadalo to, že celý vlak je prázdný, bez konduktéra, ale i bez strojvůdce, slepě se řítí tmou. Pak jsem pravděpodobně usnul, a když jsem zas otevřel oči, stáli jsme na havlíčkobrodském nádraží a do mého kupé hlučně vpadli dva Ukrajinci. Ale neptejte se, jak jsem poznal, že jsou to Ukrajinci. Jejich vpád uprostřed noci a do přetrženého spánku mě totiž tak vylekal, že to pak z mé paměti vymazalo celý ten nepochybně obřadný protokol našeho seznámení. Zato si zřetelně pamatuju, jak výstražně čpěli jakýmsi likérem a balancovali na pomezí medvědí dobromyslnosti a výbušné agresivity. Ale k mému zklamání nemluvili ukrajinsky (jsem rusista, něco o tom vím), ale hajdaláckou směsí češtiny a ruštiny, kterou ovšem u nás mluví naprostá většina Ukrajinců. Napřed nadávali na celý svět, ale pak se jim oči zalily steskem a oba zaráz propadli chandře:

Ty znaješ, što takoje Ukrajina? Polja, polja, polja, polja, polja, polja, polja, polja, polja i chozjajev nět! A hleděli na mě tak, že jsem okamžitě pochopil, že to já můžu za to, že pole na Ukrajině zpustla a zúhorovatěla. Ale hned poté rozhodli, že se bude spát. Natáhli se co nejpohodlněji, ale zato já jsem se přimáčkl do kouta a smrskl tak, abych zabral co nejmíň místa, ba abych skoro vůbec nebyl. Zavřel jsem oči, ale štěrbinkami jsem si Ukrajince stále hlídal. A opravdu, už po chvilce vidím, že se zas posadili, dali hlavy k sobě a dívali se po mně a po mém kufru. A pak se jeden z nich šel porozhlédnout na chodbičku, a když se vrátil, kývl na toho druhého. Ale už nikdy se nedozvím, co vlastně měli v úmyslu. Jsem ten nejbázlivější tvor na světě, vejlupek vší bázlivosti, ale už párkrát v životě se mi stalo, že jsem v situaci, kdy jsem měl pocit, že nýčko jde o všechno, jednal naprosto překvapivě. A tak i teď. Rázně jsem se zvedl a šel k nim a prudce rozevřel náruč a položil své nitkovité paže na jejich mohutná ramena. Tak co, molodci, zazpíváme si? Kaťušu znajetě? A pak jsem už jak vůdce vlčí smečky zvrátil hlavu ke stropu kupé a zavyl: Razcvetali jabloni i gruši...

A musím hned dodat, že molodce to vůbec nerozházelo, ihned s tím souzněli. Stáli jsme tam a drželi se v objetí a na celý vlak sborově pěli Kaťušu, tu jímavou píseň melodické krásy. A přesně tady bych měl teď skončit, pokud si chci uchovat aspoň kousek vaší úcty. Pokračovali jsme totiž celým dlouhým ruským repertoárem, v němž nechyběla nejen Píseň frontového šoféra, ale nakonec ani Píseň práce a Internacionála a uzavřeli jsme (hrůzo!) mohutným chórem sovětské hymny. A celou tu dobu jsem se objímal s těmi snad vlakovými zloději, s těmi snad ukrajinskými mafiány a stáli jsme tam uprostřed kupé a rychlík se dál řítil nocí a cítil jsem hluboké dojetí a obrovskou niternou radost.

Dodneška tomu nerozumím a vyděšeně se ptám, co se to stalo? Vždycky mi bylo k smrti protivné tohle zpěvné kumpánství, a když se k nám před jednatřiceti lety přihnali bratři zachvátčíci, zařekl jsem se, že už v životě neposkvrním svá ústa ruštinou.

Na brněnském peróně jsem se rozloučil se svými Ukrajinci a mávali mi pak ještě z oken, divže nevypadli z vlaku, a hleděl jsem za nimi v počínajícím ranním šírání. Doma jsem si pak snesl z půdy ruské klasiky a znova jsem si (po jednatřiceti letech) přečetl v ruském originále Bláznovy zápisky původně ukrajinského spisovatele N. V. Gogola.

Malý traktát o otvorech

Stalo se to ještě na konci letošní zimy. Dívám se na zasněžený kopeček, takový velký krtinec, hemžící se dětskými postavičkami v barevných kuliších. Sáňkují, strkají se a koulují, a jak jdu blíž, začínám rozeznávat jednotlivá slova a pak z toho bez varování vyletí hlásek asi tak pětileté holčičky ječící na jinou holčičku: Běž do p... a běž do p...! (Za těch šest teček si dosaďte dva přilehlé tělesné otvory.) Přiznám se, že jsem se té tuplované výzvy trochu lekl. Když mně bylo tolikhle, tak mé kamarádky tohleto nekřičívaly. Čímž nechci tvrdit, že to tenkrát byl lepší a slušnější svět. Nemohl být, vždyť zrovna končila válka, a co je v světě oplzlejšího než války?

A zatímco jsem na konečné čekal na tramvaj, dospěl jsem k přesvědčení, že důvody k tomu poslat někoho zaráz i do dvou sousedních otvorů existují nepochybně už od pěti let, jestli ne dřív, a jsou stejně legitimní jako ty, jež máme ve svých dejme tomu šedesáti. Ale jak se vzdalujeme vlastnímu dětství, nejsme už ochotni připustit, že dětské úzkosti a vzteky mají oprávněně stejnou váhu a razanci jako ty naše. A na druhé straně, pokud budeme jednou sprostí jak žumpa, máme na to zaděláno už v dětském věku.

Ale o tomhle jsem nechtěl. To setkání s pětiletým holčičím spratkem mi totiž nakonec vybavilo dávnou vzpomínku. Bylo mi tenkrát jedenáct roků, začínala padesátá léta a do Brna přijel jakýsi sovětský potentát, už si nepa-

matuju kdo, a školy ho šly uvítat na velké manifestaci
družby na náměstí Rudé armády. Příští den třídní učitel
vyvolal mou spolužačku (tu, jejíhož otce právě zatkli v sou-
vislosti s nějakým politickým procesem) a zeptal se jí, jak
to že si dovolila ulít se z manifestace? Čekal jsem, že se
bude nějak omlouvat či vymlouvat, ale kdepak. Neřekla
slovo, vůbec neodpověděla, ale zato se stalo něco zvlášt-
ního, zřetelně jsem viděl, jak učitel polkl a krok couvl,
a nechtěl bych se hádat, ale mám pocit, že se dokonce
začervenal, projel jím záchvěv studu. Má jedenáctiletá
spolužačka ho totiž takhle mlčky, bez jediného slova, jen
široce rozevřenýma očima poslala přímo do jednoho
a možná i dvou tělesných otvorů. Ihned, navždy a nená-
vratně! A nebudeme si teď povídat, co dál následovalo,
to teď není důležité. Jde mi jen o ten jediný kratičký oka-
mžik.

Byl jsem totiž tehdy v podobné situaci jak má spolu-
žačka (můj otec právě emigroval), ale nedokázal bych
tak statečně reagovat a následující desetiletí jsem prožil
přikrčený strachy. A možná právě proto schraňuju tu
vzpomínku a stále víc mi na ní záleží, přestože tuším, že
je to možná jen má konfabulace. Ale zdá se mi, že celý
svět by ztratil smysl, kdyby se to tenkrát takhle nestalo.

Olinka

Vyprávěl mi jistý můj známý, že si začal s Olinkou, manželkou podnikatele. Ale aby nezpůsobil potíže sobě ani jí, dodržel všechna bezpečnostní pravidla. Vyčkal, až její muž odjede služebně až kamsi do Dánska, a pak ji vzal do hotýlku až na druhém konci Brna, kde je nikdo neznal. A to tam ještě přijeli až v nočních hodinách a jak myšky vklouzli do hotelového pokoje. Ale když se pak příštího dne probudili, zjistili ke své hrůze, že jim až do postelí zvědavě nahlíží tváře namáčknuté na okně. A k tomu spěchejme dodat, že ten pokoj byl vysoko v poschodí. Leč ukázalo se, že to má jednoduché vysvětlení. V té městské čtvrti žil totiž šikovný truhlář a ten vám přišel na nápad, že chodit na chůdách by se mohlo stát stejně tak módní jako jezdit na kolečkových bruslích. A dobrá věc se podařila a lidi tam opravdu začali na chůdách korzovat. A to se pak občas stalo, že se zvědavě přimáčkli k nějakému oknu v poschodí jak ke sklu výlohy.

Jenže tím to bohužel neskončilo. Přecitlivělá Olinka měla z hotelového zážitku dlouhodobý šok. Což se projevilo tak, že se doma probudila uprostřed noci a uslyšela, jak někdo zaťukal na okno (a spěchejme dodat, že na okno bytu vysoko v poschodí!), a posadila se na posteli, a zatímco její muž tvrdě spal, vyděšena hleděla na zataženou žaluzii. A příští noc se opakovalo totéž a pak už pořád. Pravidelně se probouzela uprostřed noci a někdo ťukal na okno.

Můj známý zkontaktoval Olinku se slavným psychoterapeutem a ten dospěl k závěru, že jde o noční můru vyvolanou u tak přecitlivělé Olinky pocitem provinění a že se té můry nezbaví, dokud žaluzii nevytáhne a neuvidí za oknem místo mstivých Erinyí nějaký dobrácký obličej s všeodpouštějícím úsměvem. Chacha, pravil jsem pobaveně, ale čí dobrácký obličej? Samozřejmě tvůj, řekl a šel do auta pro chůdy a složil mi je na dvorku. Načež vyslovil částku, která by mi umožnila v klidu se soustředit na napsání dalšího románu. Můj známý je bohatý libertin se smyslem pro fair play. S psychoterapeutem je to domluvený. Až si troufneš, tak dá Olince pokyn, aby si tu noc vytáhla žaluzii. Ale nejlepší by prý bylo, kdybys měl na hlavě klobouk a hezky smekl a lehounce se Olince uklonil. To má totiž na pozadí hvězdné oblohy zklidňující účinek.

Sedím u okna, píšu tenhle sloupek a občas zvednu hlavu a podívám se nevěřícně na ty chůdy na dvorku. Tak to teda ne! Tak to přece ne! Ale sotva dopíšu, vytratím se na půdu. A tam vytáhnu ze staré skříně klobouk. A udeřím jím sakra o koleno, až se zvedne mračno prachu.

Konfuciánská lekce

Co vám budu vyprávět, se stalo před mnoha a mnoha lety, hned první rok po válce, a taky jsem to jen slyšel, i když od jednoho z přímých účastníků.

Obvykle se tvrdí, že lidskou povahu nejlíp poznáte v mezních situacích, tenkrát, když o něco strašlivě jde. Nevěřte tomu. V mezních situacích se můžeme po celý ten čas chovat třeba i jako hrdinové, i když máme jinak srdce podlé. Skutečným měřítkem lidského charakteru jsou spíš zdánlivé prkotiny, chvíle, kdy jakoby o nic nejde. A to, co vám teď svěřím, je prkotina prkotin, ale zároveň svým způsobem děsivý příběh.

Pan profesor byl krásný člověk, jak postavou, tváří a každým gestem, tak i svým životem, pověstí naprosto čestného a statečného muže, jenž se za okupace zúčastnil odboje. Jednoho slunného dne na sklonku babího léta 1945 se pan profesor se svými dvěma obdivovatelkami, dámami z poválečné high society, a taky s mladíkem, který mu byl v odboji po ruce co spojka, vypravili na výlet kamsi za brněnskou přehradu, do těch pohostinných lesů, co už právě začaly překotně žloutnout a nachovět. Ale tohle byl ještě nádherný den, i když pravda vzešel z ranních mlh. Však si taky dámy raději vzaly pláště. Ale jak stoupaly do kopce a slunce žhnulo, profesor jim galantně z plášťů pomohl. A když se mladík nabídl, že on pláště ponese, profesor ho s úsměvem odmítl: Nosit andělům křídla, příteli, je pocta, kterou si teprvá budete muset zasloužit.

Ale nebyl to jen tak obyčejný výlet. Byla to vlastně peripatetická přednáška o estetice náhodného, jak pan profesor pojmenoval to nesmírně zajímavé téma, a teď jim je krok za krokem představoval. Scházeli se totiž v těch prvních poválečných měsících pravidelně a pan profesor se s nimi dělil o svou sokratovskou a konfuciánskou moudrost. A když konečně vyšlápli kopec, který přední šejícího i posluchačky trochu zadýchal, zaleskla se dole hladina přehradního jezera. A zatímco dámy a mladík na ni hleděli, profesor se na chvíli ráčil vzdálit. A když se zas vrátil, pokračoval v té neakademické přednášce, během níž se každou chvíli zastavovali, aby se dotkli kůry stromů anebo si prohlédli obrovského roháče. Ano, nebudete věřit, ale tenkrát ještě při brněnské přehradě žili roháči velcí, no, abych nepřeháněl, jak smrkové šišky.

A pak se to stalo. Příteli, chtěl jste přece nést ty pláště, řekl pan profesor, když se přitočil k mladíkovi a rychle mu je předal. A mladík okamžitě uviděl proč. Když si totiž profesor před chvílí odskočil, držel při tom úkonu pláště tak nešikovně, že je ten starý kocour stačil označkovat. A samozřejmě moc dobře věděl, že mladík, který ho zbožňoval, neřekne těm dámám, až jim bude na konci výletu pláště předávat. Ty fleky, prosím, to no já, ale tudy pan profesor...

A to je taky konec příběhu. Cože? ptáte se. A jak to dopadlo? Eh, naprosto nijak. Mladík samozřejmě nic neřekl a dámy samozřejmě dělaly, že si ničeho nevšimly. V běžném slova smyslu to už nemělo vůbec žádné pokračování.

Mladík, který mi to vyprávěl, je dnes stařec. A prožil pak v poválečných desetiletích, jak ostatně mnozí z nás, strašlivé věci, které s tou nicotnou příhodou ale nijak nesouvisely. Prošel kriminálem, emigrací a přišel málem o život v cizinecké legii. Ale když se ho zeptáte na nejošklivější zážitek jeho života, vzpomene vždycky tuhle prkotinu s dámskými plášti. Hle, jak tajemné jsou hlubiny etického.

Neklej, prosím

Brno, Královo Pole, Slovanské náměstí. Tady v secesním činžáku nedaleko školy bydlí Oleg F. a teď mě právě do čehosi zasvěcuje:

Viděls někdy kočku pohybovat se po stole, na němž je spousta sklenic a porcelánu?

Viděl. Pohybuje se nesmírně obratně a nikdy nic neshodí, nerozbije. Protože kočky nesnášejí hluk.

A proč nesnášejí hluk?

Protože mají náramně citlivé uši.

Aha. A víš taky o tom, že značná část bílých koček je naprosto hluchá a s oblibou rozbíjejí sklo, porcelán, keramiku?

Jo, slyšel jsem. Když jsou hluché, tak neznají hluk, který by je od toho odradil.

Přesně tak. Ale aby to bylo ještě komplikovanější, tak právě mezi bílými kočkami se jednou za dlouhý čas objeví jedinec vynikající fenomenálním sluchem. V lidské řeči neexistuje přívlastek, kterým by se ten sluch dal označit.

Kývl jsem k bílé kočce, kterou měl v košíku na pohovce. To je ten jedinec?

Chvíli jsme ji tiše pozorovali. Její uši byly v neustálém pohybu a kočičí hlavička se pootáčela, předkláněla, zakláněla, jako by nepřetržitě cosi pozorně sledovala.

Tráví celé dny jen nasloucháním. Vlastně ji nic jiného na světě nezajímá, žije jen těmi zvuky. Ale dovedeme si vůbec představit, jaké to musí být zvuky, aby si navždycky přivlastnily veškerou její pozornost? Vsadil bych se, že jsou barevné a svým způsobem konzistentní a že je ta bestie slyší v celých, navzájem zřetelně rozlišitelných zvukových pásmech. Příklad. Teď má právě přijet tramvaj z Řečkovic a zastávka je tímhle směrem. Uplynulo několik vteřin a kočka se skutečně obrátila udaným směrem a pak okamžik jako by sledovala i odjezd. Ale to je jen prvé, nejbližší pásmo zvuků. Zkusil jsem se dostat dál, do dalších pásem. Zajímalo mě, jestli třeba reaguje na začátek denního provozu v Královopolských strojírnách. Ale jak můžeš, hergot, poznat, co je kočičí reakce na hluk mašin v daleké provozní hale?

Neklej, poprosil. Poznávám to samozřejmě jen velice obtížně. A ještě obtížněji bych ti to vysvětloval. V podstatě jde asi o to, že její pohyby při chytání zvuků říkají zas ledasco přímo o těch zvucích. Já už ti mám dneska naprostou jistotu, že ta mrcha slyší celé město, celé Brno. V tomhle úctyhodném štatlu není jediného zvuku, který by nevzala na vědomí. Celé zvukové bohatství města má obmáknuté. Jen se s ní naučit líp komunikovat.

Pak jsem Olega dlouho (šest roků?) neviděl. A pak jsem se doslechl, že zavčas využil výhod předčasného důchodu. A taky jsem slyšel, že si nechal odpojit telefon, internet a vůbec se všemožně odřízl od světa. A tušil jsem, čemu se teď doma tak soustředěně věnuje. A protože to znova probudilo můj zájem, napsal jsem dopis, v němž jsem se zdvořile dotázal, jestli bych se nemohl stavit na návštěvu.

Odepsal mi do Moravského Krumlova až po nestydatě dlouhé době. Vymluvil se, že je bohužel stále něčím zaneprázdněn. A že mi dá vědět, až bude na tom líp s časem. Ale o kočce ani zmínky. A v závěru mě požádal, abych už, krucinál, něco udělal s těmi dveřmi do koupelny, protože mi čím dál tím protivněji vržou.

Neklej, prosím! odepsal jsem obratem.

Sumec v buši

Nemám rád velké rodinné sešlosti, ale jednou za čas se jim prostě nelze vyhnout. Snažil jsem se to tudíž ve zdraví přežít, což se mi celkem dařilo, a tak když večer sešlost utvořila půlkruh kolem televizních zpráv, propadl jsem dokonce jakési zpupnosti a napadlo mě, že teď třeba přišla chvíle, abych aspoň trochu napravil svou nelaskavou rodinnou reputaci, pověst nudného mlčenlivce. Takže když se v Počasí objevil na obrazovce pan Zákopčaník ve své elegantní sutaně meteorologického velekněze, připravil jsem se na chvíli, kdy si položí ruku na srdce, a hned jsem se zvedl a postavil se také tak a zrcadlově se mu uklonil a na jeho Slunce v duši! odpověděl Sumce v buši, pane Zákopčaník! Ale celkem rychle mi došlo, že jsem šlápl sakra vedle. A bylo to tak sugestivní, že jsem byl v pokušení zvednout nohu a podívat se na podrážku. Však nerozuměl jsem tomu, jakou jsem udělal chybu? Ale to tady asi nevyřešíme, kvůli tomu jsem vás nesezval a zmiňuji se o tom jen proto, že bych chtěl zdůraznit, že „Sumce v buši!" vůbec nevzniklo jako komická zvuková nápodoba „Slunce v duši!", jak si teď možná myslíte. A mohu li to tak říct, tak toho sumce v buši nosím v duši už dlouhou řadu let. Ba ještě déle.

Krátce po válce a myslím, že hned v roce 1945, přijela do brněnské čtvrti Žabovřesky, kde jsme tehdy bydleli, cirkusová maringotka. Zaparkovala na Burianově náměstí, na tom plácku za kapličkou, ale to už jsme se k ní hrnuli. Na maringotce byla totiž namalována vysoká tráva a v ní obrovský vousatý sumec a v pozadí stádečko klokanů. A pak tam byl taky nápis, který jsem si ve svých pěti letech (kantorský synáček) dokázal už hravě přelouskat. Oznamoval kolemjdoucím, že v maringotce je za drobný peníz k vidění šestimetrový sumec ulovený v australské buši. Což mého otce nesmírně pobavilo. Vysvětlil mi, že ten sumec je určitě jen třímetrový našinec a žádnej šestimetrovej Australan, ale když z něho udělají cirkusovou a pouťovou atrakci, sumce v buši, něco jako dvouhlavý tele anebo mořskou pannu, můžou si holt zvednout vstupný. Protože za blbost se, synku, platí! Jenže žádnej Kratochvil, podtrhl otec, nebude nikomu za hňupa. Takže mi nedal ten drobný peníz na vstupné a sumce jsem neviděl.

A dodnes nevím, jestli je to tím, že jsem toho sumce tenkrát nesměl vidět, anebo jen fantastickým slovním spojením, ale sumec v buši má pro mě pořád obrovskou imaginativní sílu a ke své hanbě musím přiznat, že daleko mohutnější než mé pozdější setkání s dílem García Márqueze nebo J. L. Borgese a s obrazy Salvadora Dalího a Štýrského a Toyen. Ano, ano, vzpomínka na jednu křiklavými barvami pomalovanou maringotku má pro mě větší hodnotu než celé muzeum Peggy Guggenheimové! A tak si uvědomuju, na jak pochybných základech stojí celá má obraznost, vzdělanost a kultura, na čemsi bizarním, hodně podivínském a sotva obhájitelném, prostě na sumcích v buši! Jenže to tady teď taky nevyřešíme.

A když se pak příštího dne ta velká rodinná sešlost rozjela do všech světových stran a v domě zas zavládlo domácí ticho, zeptala se mě má žena, co mám proti meteorologovi Zákopčaníkovi? Samozřejmě nic, je mi sympatickej. No, trochu mě někdy zlobí, přiznal jsem na-

konec, ta jeho velekněžská stylizace. Ale to tady taky ne-
vyřešíme.

A tak raději končím. A přikládaje si ruku k srdci le-
hounce se ukláním: Sumce v buši, milé čtenářky a čte-
náři!

Břicho a bránice

Je až s podivem, že ještě nikdo nepřišel na nápad zřídit si soukromou školu, v níž by učil bavičství, tedy profesi dnes nejžádanější. Co kvalifikaci ji totiž uplatníš kdekoliv, a kdo není zábavný, je mrtvý, a bavím se, ergo jsem, a všechno je zbytečné, co není zábavné, životní filozofie, jíž těžko nepodlehnout.

Bavičství je mor času, v němž žijeme. Ne snad proto, že by na zábavě bylo něco špatného, ale jen proto, že posunuta až do centra, zbožštěna, stala se žádoucím životním stylem a roztomile olizovaná vařečka královským žezlem našich dnů. Troufl bych si dokonce mluvit o diktatuře bavičství, co vrtí i chvostem současné české politiky, všechny naše politické aféry nakonec vždycky jen přistanou v koši: „nic víc než sranda".

Šel jsem v Brně po náměstí Svobody, když se mi najednou podsmekla noha a padl jsem napřed na kolena a pak na všecky čtyři, a to jste měli hned vidět, jak se lidi srotili kol očekávajíce nějaký bavičský výstup. A ke své hrůze jsem tomu koncentrovanému očekávání podlehl a běžel chvilku po čtyřech žertovně potřepávaje hlavou. Jako by skutečnost pro většinu z nás byla jen prodlouženým pódiem televizních obrazovek a život prostě jen o krapet delším estrádním výstupem.

Cítím zásadní rozdíl mezi humorem a bavičstvím. Humor je často obtížný a nepohodlný, bývá až krutou sebereflexí, kdežto bavičství zdůrazňuje propojení mezi břichem a bránicí, tu roztomile olizovanou vařečku. Takže v posrpnovém dvacetiletí si totalitní režim naverboval na místa nepohodlných humoristů baviče a nelze popřít, že se tenkrát kvalita bavičství dobrala špičkové úrovně: dobře pobavit a nikoho si nenaštvat. Koneckonců, má to u nás tradici už z časů německé okupace, kdy vznikly přepůvabné filmové komedie, výron čirého bavičství. Otázkou ovšem je, proč se právě tenhle trend stal nejvýraznějším fenoménem i devadesátých let? A proč hloupoučká bavičská normalizační komedie S tebou mě baví svět vyhrála diváckou anketu i na konci století? Řekl bych, že všudypřítomné bavičství, to je jakási obranná bariéra, kterou si stále vsunujeme mezi sebe a skutečnost. A viděl bych vysvětlení například i v neochotě vyrovnat se s traumatem minulosti. Vždyť úspěšná přizpůsobivost našince za sovětské i německé okupace, to nebyla žádná sranda a nedá se to odbýt jen jako sranda. A pokud se z toho nevyhrabeme, nedokážeme ani rozlišovat mezi skutečným humorem (jednou z forem poznání) a pouhým bavičstvím. A z toho pohledu je také srozumitelné, proč Hřebejkovy bavičské Pelíšky potěšily našince nesrovnatelně víc než jeho mnohem cennější film Musíme si pomáhat.

V Cibulkových seznamech

V Cibulkových seznamech spolupracovníků Státní bezpečnosti jsou, jak známo, také nějací spisovatelé. Však dávejte pozor, co vám teď řeknu: všichni spisovatelé hodni toho jména jsou anebo byli agenty, Hrabala nevyjímaje, přestože je nejspíš v žádných seznamech nenajdete. Totiž horlivými agenty, špehy a slídily ve službách svých příběhů, románů a povídek.

Pro každého spisovatele, který má aspoň špetku talentu, není problém vymyslet příběh a osázet ho smyšlenými postavami. Jenže do každého příběhu potřebuje taky celou sadu detailů ze života a ty se holt vymyslet nedají. Proto jsou spisovatelé sběrateli, ba lovci detailů. A zvláště pak na stará kolena jedou po detailech ze života jak vepři po lanýžích.

To když jsem například v tramvaji a uslyším živou větičku naditou člověčinou, užuž se proloktovávám až k jejímu pachateli. Jindy si zas s někým povídám a najednou zmlknu uprostřed věty a jdu k někomu, koho vůbec neznám, omluvím se a konečkem prstu si zvědavě sáhnu na jeho bradavici. A na Cejlu mě kdosi zaujme zvláštní gestikulací a okamžitě se na něho přilepím a sleduju ho dlouhé hodiny. Cokoliv, nějaký detail v čísi tváři anebo na jeho oblečení či to, co právě říká, mě může tak silně chytit, že jdu co nejblíž, až se skoro nosem dotýkám, a všichni kolem na mě zděšeně hledí a odtrhnu se a rychle zas mizím.

Asi vás pak nepřekvapí, že jsem už kvůli tomu několikrát přišel k úrazu. Agenty Státní bezpečnosti chránily při slídivých akcích jejich nadřazené orgány. Mě nechrání nikdo a nic. Proto vždycky když se k někomu takhle zvědavě přibližuju, kryju si přitom nejchoulostivější místo dlaní. Čtenářstvo to samozřejmě nemusí vůbec zajímat, ale za některé detaily do svých románů a povídek jsem už bolestně zaplatil. Tak za to, že jsem si docela zblízka prohlédl a ohmatal roztomilou náušnici na oušku jisté netýkavé dámy (tu náušnici jsem pak využil v povídce o lady Dianě), jsem zaplatil, ano, správně, tady čtverkou vlevo dole. A za to, že jsem kohosi požádal, aby mi zopakoval výkřik, jehož použil, když mu číšník polil záda gulášovkou (pěkný výkřik jsem potřeboval do kriminálního románu), jsem zaplatil v hospůdce na Dornychu odshora dolů roztrženou košilí. A když jsem se před čtrnácti dny připletl k chlapíkovi močícímu na výlohu drogerie, abych se zblízka podíval, jak se proud tříští o sklo (podobný motiv chci uplatnit v románu o teroristech z Belfastu), obrátil proud na mě a ještě mě udeřil loktem do břicha.

A přiznám se, že s Aničkou T. jsem si začal jenom proto, že jsem právě psal milostnou novelu, a tak jsem si potřeboval ze studijních důvodů zopakovat jisté prostocviky, bez nichž čtenáři milostné příběhy prostě nebou. Co čumíš? zeptala se Anička. Neviděls ještě nikdy...? Buď té lásky a pohni zas zadkem!

Od rozbřesku do večerního šírání a často i v noci jsem agentem ve službách svých románů a povídek a chtěl jsem vás požádat, až jednou ucítíte můj slídivý pohled, jak vám sestupuje až do vnitřností, nebraňte se mu, tak jak se květy nebrání jarnímu vánku, bubny úderům paliček a stařičký šatník útoku molů. Ne, nebraňte se mi.

Legenda o G.

Od Ladislava, kterému nic neujde, neboť v jednom kuse smejčí po Brně, jsem se dozvěděl, že G. je prý v Domově pokojného stáří. Jenže ten Domov, v kterém G. teď přebývá, je na kopci v sousedství Kamenná kolonie a je to původně polepšovna, kde tentýž G. strávil kdysi kus dětství. Člověk se na stará kolena vrací tam, odkud vyšel, že? Tak tomu teda říkám života kruh!

Ale vy ještě nevíte, kdo to je G. V čase mého a koneckonců i Láďova dětství a dospívání býval tenhle G. neskutečným monstrem. Vždycky když jsem chytil angínu, tak se mi o něm zdávalo, ty hrůzné, horečné sny! Jasně, G. byl obluda, dá se říct člověk-bestie, vzhledem i povahou. A potkat ho na ulici a podívat se mu třeba jen bezděky do očí znamenalo vyprovokovat ho. A potom vždycky následoval děsivý útok. A tak ulice, v nichž se G. objevil, vypadaly vždycky stejně: všichni tudy šli se sklopenýma očima.

Koupili jsme láhev nejkvalitnějšího koňaku a vypravili se do Domova pokojného stáří. Vyšlápli jsme kopec s vyplazeným jazykem (to bych rád viděl ty staroušky, jak se sem hrabou, ha!) a nahoře skutečně potkali dům, jímž kdysi rodičové v Brně strašívali zlobivé děti a kterým zas teď ty děti na oplátku straší své stařičké rodiče. Polepšovna se změnila v penzion pro stařenky a stařečky, jako když proutkem mávne.

Starý muž, neuvěřitelně podobný dalajlamovi, poděkoval za láhev koňaku a hned ji otevřel a nakráčel s ní rovnou k umyvadlu a (vykřikli jsme hrůzou!) obrátil ji dnem vzhůru. Hleděl na nás s neskonalou vlídností a někdejší obludnost, jež bývala jeho poznávací značkou, a hrůza, již pouštěl, byly teď vystřídány jakousi stařeckou ušlechtilostí a skoro bych se odvážil říct že krásou. Ale to, co udělal s lahví koňaku, bylo sice překvapivé, ale na druhé straně vlastně odpovídalo jeho panovačné povaze, jak jsme ji kdysi znávali. Někteří lidé stářím zošklíví, jiní zas zkrásní, ale při troše pozornosti zjistíte, že základní rysy zůstávají vždycky zachovány. Zušlechtěný G. byl pořád ještě G. a mohli jsme prstem ukazovat na různá jeho mateřská znamínka, jak jsme si je pamatovali z dávných časů. A okamžitě jsem si taky uvědomil, že ta dost šokující proměna úděsné polepšovny v pokojný Domov je přece stejného charakteru. Načež jsme od G. museli vyslechnout protialkoholické kázání a rozohnil se tak, že jsme si dávali bacha, abychom mu raději nepohlédli do očí a nerozlítili ho ještě víc.

Avšak když jsme opustili Domov, napadlo nás cestou (a oba jsme to vyslovili takřka zaráz), že ten ošklivý a zlý G., jak jsme ho znávali, byl nakonec mnohem sympatičtější než tenhle moralistní dědek. A že jeho stařecká krása je vlastně jen karikaturou té jeho dávné a zlomocné obludnosti. A když to pak zobecníme — napadlo mě — tak platí, že krása je často jen karikaturou ošklivosti a dobro karikaturou zla. A rozvíjel jsem tu myšlenku ještě mnohem a mnohem dál, ale nejsem Sokrates, abych si tu mohl dovolit kazit mládež.

Za čtrnáct dní mi Ladislav vzkázal, že to všechno byl jen omyl a že ten G. je někdo úplně jinej, prostě jen shoda jmen. Ale nevěřil jsem mu ani zblo. Kdepak, už se z toho nedalo vycouvat.

Modrovousovo srdce

Za mým kamarádem Ladislavem, novinářem z brněnské Kamenné čtvrti, přišel Vrkoč a pravil: Živím se, jak víš, hledáním zaběhlých psů a hlídáním záletných manželek. Ale už léta sním velkej sen, kterým chci ospravedlnit svou fízlovskou existenci. Představ si chlapíka, říkejme mu Modrovous, a ten měl už pět žen a každá z nich rok a půl po svatbě exla. A nikdy ani stín podezření, protože pomřely na banální nemoce a evidentní nehody. Ale vem si tu přísnou periodicitu — rok a půl po svatbě a za půl roku další svatba! Přesnej jak chronometr! Už dlouho Modrovouse zpovzdálí sleduju a teď konečně nadešel čas, abych s tím něco udělal. Však víš, má žena získala restitucí činžovní dům, a teď jsem ji přesvědčil, aby ho prodala, a tak můžu investovat do kauzy Modrovous.

Ladislav: To měla určitě radost!

Ale Vrkoč na to nereagoval a místo toho se jal před Ladislavem rozkládat fotografie. Prvá Modrovousova žena. A druhá. A třetí. A při té už Ladislav zneklidněl. A při čtvrté ho zamrazilo. A při páté už rozuměl, oč Vrkočovi jde.

Vrkoč: Jak vidíš z těchhle pěti, tvoje dcera je přesně ten typ, jaký bude teď Modrovous hledat. Proto ji chci použít jako volavku. Nic se jí nemůže stát, na to dohlídnu. Zavčas od něho uteče. Ale v kabelce nám takříkajíc přinese Modrovousovo srdce.

Ladislav: Ty ses pomátl! Za co mě máš? Nechceš náhodou do držky? S čím to na mě lezeš? Ještě jednou zopakuj tak sprostej návrh a dám ti sežrat tvý vlastní koule!

Vrkoč pokojně čekal, až se Ladislav vyzuří, a pak před něho položil šek s fantastickou sumou, kterou získal prodejem manželčina činžovního baráku. Ladislav dvě noci nespal a druhou z nich dokonce vylezl na střechu a do svítání tam v zamyšlení seděl vedle komína. Ráno si pak promluvil s dcerou. Té se Modrovous už na první pohled zamlouval. Viděla ho v Medlánkách na golfovém hřišti a jejda, jak ten se podobal Douglasovi z Osudové přitažlivosti! Vrkoč zinscenoval setkání s Modrovousem a do měsíce byla svatba.

Přestože mezi Ladislavovou dcerou a Modrovousem byl značný věkový rozdíl, byl to šťastný manželský pár. A jak už ve šťastném manželství rychle plyne čas, uběhl rok a půl a potom hned dva, tři, čtyři, pět roků a už bylo jasné, že budou spolu šťastni navěky.

Vrkoč se pokusil o sebevraždu. Upnul se totiž na Modrovouse jako na svůj velký kriminální případ a teď nedokázal přežít zklamání. Ale nakonec ho s vypumpovaným žaludkem přežil.

Nic jsem mu nedokázal, ale přesto je to vrah, řekl Ladislavovi, když ten ho navštívil v nemocnici. Jak s ním může být tvá dcera šťastná? Ale Ladislav jen rozhodil rukama. Však víš, jak to chodí. Vem si naše politiky. Zkorumpovaní a prolhaní šejdíři, ale nikdo jim nic nedokázal, a tak s nima taky musíme být šťastní.

A můj šek?

A Ladislav znova rozhodil rukama. A pokojně čekal, až se Vrkoč vyzuří, a pak před něho položil velký pomeranč, zakoupený v nemocniční kantýně. A tiše se vytratil.

Lásko trýznivá

Šalina je snad jediné slovo z brněnského hantecu, kterému rozumí i Pražák z Karlína, neboť všichni všude vědí, že po Brně jezdijó šaliny, tak jako po zelných hlávkách lezó housenky. Tak moment, ale proč to ošklivé přirovnání, proč housenky? ptáte se. No, nejspíš proto, miláčkové moji, že tohle je příběh mé zhrzené lásky k brněnským šalinám. Přihodil se už před třemi roky, ale spěchám vás ujistit, že je pořád ještě aktuální.

Kdyby Dopravní podnik města Brna měl svůj naprosto spolehlivý počítač a v něm naprosto všechny pasažéry a všechny jejich jízdy, věděl by už nějaký čas, že jsem bezkonkurenčně tím pasažérem nejpoctivějším, tím, co za celý život ani jednou nepodlehl pokušení svézt se třeba jen jednu zastávku zadarmo. A věděl by proto také, že si zasloužím velkou tramvajáckou medaili, ale možná i andělská křidýlka, ta z okřídleného emblému dopravního podniku. Leč v životě to chodí jinak než ve Velké tramvajácké pohádce.

Už dávno jsem si všiml, že se hodiny v tramvajových značkovačích opožďují o nějakou tu minutu, ale nepřikládal jsem tomu žádný význam. Nikdy by mě totiž nenapadlo, že se můžou opozdit o celou hodinu. A zjistil jsem to teprve před třemi roky, když jsem tenkrát na Moravském náměstí přestoupil z pětky, kde jsem použil značkovače, na jedničku a tam narazil na revizorku, která mě pokutovala za propadlou jízdenku. Argumentovala tím, že bylo mou povinností zkontrolovat si čas vytištěný značkovačem a na závadu upozornit řidiče. Ale já bych spíš řekl, že jsem zaplatil pokutu nikoli za sebe, ale za lajdáctví tramvajáků. A po setkání s vámi, paní revizorko, si teď všímám cestujících, kteří bezelstně a důvěřivě označují jízdenku a často vlastně ani nemají možnost si ji prohlédnout, protože jsou buď ověšeni zavazadly a v dopravní špičce vůbec rádi, že se proboxovali k značkovači, anebo nevidí bez brejlí, a zkuste si v nacvaknuté šalině najít po kapsách brýle.

Za celičký svůj život jsem nikdy nejel načerno, a osvědčil tak neskonalou loajalitu dopravnímu podniku a hle, co jsem za ni vyfasoval. A tak když jsem přišel domů, svlékl jsem kabát, avšak pozor, ponechal čepici na hlavě, kšiltovku, a po drobném zaváhání zamířil k zrcadlu a tady si místo velké dopravácké medaile připnul na hruď ten pokutový lístek. Ano, stál jsem tam před zrcadlem, na hrudi pokutový lístek (ligotal se na něm zlatý proužek Dopravního podniku města Brna) a na tu dálku vám, paní revizorko, salutoval! A do očí se mi draly slzy zhrzení. Jenže já je živou mocí zadržel! Ale to jsem právě neměl dělat. Místo zadržených slz ze mě vyrazila kletba a její strašlivé následky teď všichni sklízíme. Za ty tři uplynulé roky mnou prokletá tramvajová doprava... no, víte co, raději o tom pomlčme.

A proto si teď už dávám sakra bacha. A uvedu hned příklad. Čtu třeba noviny. Anebo se dívám na televizní zpravodajství. Anebo taky vidím to, co teď všude kolem sebe vidím. A cítím svou bezmoc. A už se mi zas na rty dere kletba. Ale ne, kdepak, já ji radši mermomocí zadržím! Slyšíte, já tu kletbu silou a mocí zadržím. A stojím pak před zrcadlem, na hrudi přišpendlenou repliku svého volebního lístku ODS, a přes slzy vám, strano moje trýznivá, přes slzy vám na tu dálku salutuju!

Bojme se řatybů!

Čas dovolených je, jak známo, i časem bytařů. A ať teď zvednou ruce ti, do jejichž bytů se ještě nikdy nikdo nevloupal! No vidíte, tušil jsem to a nebudu to raději ani komentovat. Takže bytaři se stále víc zdokonalují, neboť jsou v kontaktu s mezinárodní bytařskou sebrankou, která jim předává (anebo prodává?) svá know how. A s obranou proti bytařům je to už jako s antibiotiky a infekčními chorobami. Vymýšlíme stále nové a vymakanější fígle, jak své byty zabezpečit, ale jejich účinek se stále zmenšuje, protože bytaři se velice rychle adaptují na naši obranu a vyvíjejí stále adaptabilnější bytařské kmeny a zlolajně mutují do zvlášť nebezpečných forem. A nakonec nás před vykradením ochrání už jenom to, že nebudeme mít doma nic, co by stálo za odnesení.

Jenže existuje ještě něco horšího než bytaři, cosi, před čím nás neuchrání ani to, že z našeho bytu už není co odnést. Jestliže totiž bytař je ten, kdo něco z bytu odnáší, tak jeho pravým opakem je řatyb. Ano, čtete správně, řatyb je opakem bytaře. Vím, že to slovo zní dost bizarně, ale slibuju, že jakmile se začnou řatybové prosazovat, zvykneme si i na to slovo. Zatím jsou známy jen dva brněnské případy, jeden z Pellicovy a druhý z Jánské ulice.

Takže ten z Pellicovy. Začalo to nenápadně. Když se Martin S. vrátil domů, našel na stole krabičku zápalek. S-ovi jsou oba nekuřáci a plynové spotřebiče zapalují elektrickým zapalovačem. A kromě toho, zápalky byly vyškrtané. Řeknete prkotina. Jenže už příštího dne čekala na Terezu S. hned v předsíni krabice s jakýmsi rozbitým vysavačem. A týden nato našli v kuchyňce zrezavělou a děravou vanu. A po dalším týdnu jim najednou v obýváku zavazela velká rozmlácená a vykuchaná mraznička. A všimněte si, podstrčené věci se očividně zvětšovaly. A pak už jim někdo zatarasil toaletu starou švédskou bednou. Byla tam vzpříčená, takže ji museli rozřezat a po kouscích vytahovat ven. A bytaři by mohli závidět tomuhle řatybovi, který bravurně pronikal do bytu, pod paží zrezivělou vanu anebo vyřazenou mrazničku. A po dalších čtrnácti dnech našli ve své ložnici havarovanou Škodu Octavii, vyplnila ji jak ošklivá plomba dutý zub. A jestli se ten odpad, který jim tam řatyb tahá, bude dál zvětšovat tímhle tempem, roztrhne jim byt jak žábu. A bude teď následovat tank z výzbroje někdejší Varšavské smlouvy, anebo nějaká vyřazená stíhačka? A tak S-ovi zůstávají doma a po zuby vyzbrojeni hlídají svůj domov. Ale řatybové si už zatím narazili jiný, ten byt v Jánské ulici.

Čas řatybů je už bohužel hudbou nejbližší budoucnosti, v níž pořídit si nějaký nový výrobek přijde našince mnohem laciněji než zbavit se starého. A z těch nejzdatnějších bytařů se pak už rychle vyklubou řatybové, protože výnosnější než vykrádat byty bude plnit je ve službách nějaké firmy platící zlatem úklid odpadků. Vrátíme se z dovolené a náš sladký domov bude od podlahy po strop neprodyšně napěchován. V našich bytech skončí celá aušusová výzbroj české armády a nejspíš i odpad z atomových elektráren. Bojme se řatybů, kteří budou procházet zdí prohýbajíce se pod svým nákladem a utíkat pak od nás s prázdnými nůšemi. Obávám se, že jednou začneme závidět bezdomovcům. A ještě se nám zasteskne po starých dobrých bytařích.

A všechno to kdysi začalo tak nenápadně, že, pane Nerudo.

Výtah na popraviště

Čas multiplexů nastal už i v Brně, jeden je v obchodním centru na kraji města, druhý se staví přímo v historickém jádru Brna. Jsou jak automaty, které vás v příslušné kóji obslouží žádaným zbožím a pak zas vyplivnou k dalším konzumentským radovánkám. Dny starých kin jsou očividně sečteny a tím víc k nim lnu s tou horoucí nostalgií, jež mi vybavuje všechny ty Fellini, Bergmany, Godardy a Vadimy, co jsem v těch kinech kdysi viděl. Ve středu města zůstala kina tři, Kapitol, Scala, Alfa, sedávám v nich s hrstkou posledních diváků, štamgasti, kteří se už všichni znají od vidění. Pamatuju dávnou slávu těch brněnských kin, našvihaných občas tak, že se uličky ježily přístavky. A vzpomínám i promítání filmů s mimořádnou metráží, půlených přestávkou, kdy jsme vyšli korzovat do foyer (ta kina byla kdysi v Brně postavena jako důstojné protějšky divadel), než zas v hledišti pohasla světla a hrabě Monte Christo pokračoval ve svém zarputilém díle. A když skončil, hrnuli jsme se po schodištích k zadním východům a zaplavili ulici jak obrovská šumící řeka. Samozřejmě vím, že ta tři kina ve středu města se pravděpodobně už brzo změní v podzemní kasina či suterénní garáže nebo obludné jeskyně, plné hracích automatů. Ale abych zas nebyl nespravedlivý. V časech největší slávy městských kin jsem občas taky zažil ošklivé chvilky.

Kino Alfa je umístěno ve stejnojmenné pasáži, kde je množství obchodů a vchodů a východů a průchodů a taky několikero schodišť na galerie. Fronty na lístky zde neběžely od pokladny kina napříč pasáží, protože to by pak beznadějně zatarasily provoz, nýbrž se po mnohém naléhání naučily spirálovitě, hlemýžďovitě zavinovat, takže konec fronty pak logicky skončil uprostřed klubka. A ten nejposlednější příchozí musel prostoupit několika kruhovými vrstvami, než si tam vevnitř, v zámotku, našel svého předposledního. A takhle zavinutá fronta pak v pravém slova smyslu nepostupovala, nýbrž se velice zvolna otáčela, jak tělo předlouhé, odvíjející se anakondy. A ten nejposlednější na konci fronty se uprostřed spirály pomaloučku točil kolem své osy. Snad jsem to vylíčil dost názorně, abyste si to dokázali představit. Nuže, stál jsem (před mnoha a mnoha lety) v takové spirálovité, hlemýžďovité frontě v pasáži Alfa a malými krůčky se zvolna šinul dokola, obklopen ze všech stran pomalu se šinoucími hlavami, a najednou mě sevřela klaustrofobie, tak, padla na mě klaustrofobie, ať to zní dost hrozivě, tedy úzkost z toho, jak jsem vmáčknut do podivně se otáčejícího houfu lidí. Ale moc dobře jsem věděl, že musím a dokážu tu děsivou úzkost překonat, vždyť na konci mě, má lásko, čeká Výtah na popraviště. Film Louise Malla.

Byl jsem se podívat do multiplexu na kraji Brna. Zadarmo tam vozí kyvadlová přeprava. Zhlédl jsem obstojně nudný americký film (Podzim v New Yorku) a zas nás dovezli zadarmo zpátky. Ach, všechno to bylo, jak to honem říct, jo: výsostně pohodlné. O několik dní později jsem měl cestu pasáží Alfa a najednou ke svému úleku zjistil, že se mi stýská už i po té ohavné úzkosti ze spirálovité fronty. A v té bezbřehé záplavě akčních filmů aspoň po jednom jediném, tak dobře udělaném, jako kdysi byl Výtah na popraviště.

Hodně štěstí, pane Bouchale!

Jel jsem stopem ze Zlína do Brna, a protože těch, co ještě berou stopaře, je jak šafránu, chtěl jsem se nějak revanšovat a vyprávěl jsem řidiči roztomilou historku o kosmonautovi Armstrongovi, kterou znám z knihy transpersonálního psychologa Stanislava Grofa:

Když Neil Armstrong udělal první krok po měsíčním povrchu, pronesl slavnou větu: „Krůček pro člověka, obrovský krok pro lidstvo!" To je všeobecně známo. Jenže pak řekl ještě další větu: „Hodně štěstí, pane Gorski!" Ale ta upadla v zapomnění, protože nikdo nevěděl, kdo je to Gorski, a Armstrong to odmítl vysvětlit. Až nedávno, na jedné party na Floridě, si kdosi na tu větu vzpomněl a Armstrong už byl ochoten promluvit, protože Gorski mezitím zemřel. Když byl ještě kluk, bydlel Armstrong v sousedství nějakých Gorských a jednou pozdě večer si hrál s míčem a ten přeletěl do sousedovy zahrady, a když si tam pro něho vlezl, uslyšel z otevřeného okna ložnice vzteklý ženský hlas: „Tak orálního sexu se ti zachtělo?! Jo, máš ho mít, ale až tady sousedovic kluk bude běhat po Měsíci!"

Na tuhle historku (vyprávěl jsem ji už nesčetněkrát) reagují obvykle posluchači s opravdovým potěšením, ale můj řidič, starší, distingovaný pán, se ani neusmál, naopak, měl jsem pocit, že za svým volantem zatuhl.

Připadá vám ta historka nevkusná? zeptal jsem se.

Můj Bože, o to nejde. Počkejte ještě pětadvacet minut a něco vám ukážu.

Za pětadvacet minut jsme projížděli městečkem poblíž Brna a zastavili kousek od domku s velikou zahradou.

Je tomu víc než třicet roků, co mi jednou večer žena odmítla jisté sexuální praktiky a slíbila mi je, už kluk od sousedů bude běhat po Měsíci. Šel jsem si zapálit cigaretu a vidím otevřeným oknem sousedovic kluka, jak tam v trávě pod oknem hledá míč. Ale nikdy se nestal kosmonautem. Pokud vím, tak je z něho daňový poradce.

Ach, to je mi líto! řekl jsem.

Ale muž zavrtěl hlavou. Ničemu nerozumíte. Nebyla to moje žena a tohle není můj dům a jen jsem tady tenkrát pytlačil v cizím revíru. Víte, na té vaší historce mě rozčiluje její americkánská, hollywoodská dokonalost! Když se něco podobného stane u nás, dopadne to, jak vidíte, jenom takhle hloupě a bez pořádnýho konce a nedá se to nikomu vyprávět!

Ale tentokrát jsem já zavrtěl hlavou. Mýlíte se. Kdykoliv teď budu tu historku někomu vyprávět, zakončím ji vždycky tím, co jste mi pověděl. Teprve takhle mi to připadá dokonalý. Místo kosmonauta daňový poradce!

Zasmáli jsme se.

No, možná máte pravdu, řekl.

Ještě chvíli jsme tam stáli, dívali se na tu zahradu pod oknem ložnice a pak jsme típli cigarety a pokračovali v cestě.

Chvála železnic

České dráhy jsou už léta nejztrátovějším podnikem v zemi a kdosi z mých důvtipných přátel prohlásil, že už je nejvyšší čas srolovat koleje a dát příkaz k radikální miniaturizaci veškerých vlaků, aby se pak mohly rozprodat do bazarů mechanických hraček. Končí prý éra železnic a železniční síť je prý už jen cosi jako sdrátovaný hrnec.

Nu, nerozumím sice tomu, co se to děje s Českými drahami, ale bezpečně vím, že naše technická civilizace stojí na železničních kolejích stejně spolehlivě jako naše evropská kultura na křesťanských a židovských základech. Naši pradědové si kdysi, pravda, mysleli, že právě tyhle koleje nás už brzy dovedou až do civilizačního ráje. Pak se ovšem ukázalo, že po těchže kolejích mohou jezdit taky lidské dobytčáky do nacistických a komunistických gulagů. Ale tak je tomu přece i s celou naší evropskou kulturou, i z ní se dá vystavět rychlodráha do pekel.

Mám k vlakům a železnici osobní vztah. Můj dědeček z matčiny strany byl strojvůdcem. Za svého strojvůdcovského mládí jezdíval ještě po rakouské Jižní státní dráze až do Terstu. Ale já ho pamatuju už jen jako hodně starého pána, který už dávno nechodil na strojvůdcovské šichty, ale zato mě vodil do lokomotivních výtopen a vystoupal se mnou na železničářská hradla a listovali jsme obrovskými německými katalogy s fotografiemi lokomotiv a vagonů a z vršků za městem jsme nábožně hleděli na křižující se vlakové soupravy. A přestože dědovi bylo záhy jasné, že nepůjdu v jeho šlépějích, zasvětil mě do všeho, co bych mohl potřebovat, kdybych (a teď to trochu přeženu) měl třeba jednou řídit Orient expres. A tak ve svých deseti jedenácti letech jsem věděl o železnicích daleko víc (a teď to vůbec nepřeženu) než tehdejší ministr dopravy a spojů. Můj život se pak ale ubíral jinými cestami (jel po jiných kolejích), takže dnes už ani nejsem s to porozumět tomu, co se to děje s Českými drahami. Ale cosi přece jenom i dneska vím. Železnice je už dávno součástí naší kultury. I když to na železničních vagonech není zatím moc znát. Je naším rodinným stříbrem, pardon, beru zpět, tím je dnes kdeco, chci říct: rodinným zlatem. Ale zatím spíš připomíná nějaké to zlato kočičí.

A na závěr ještě rozmarný obrázek anebo chcete-li podobenství. Kdysi mi malíř Jánuš Kubíček vyprávěl o jednom svém známém, který když někam cestoval, zašel si v Brně na nádraží a nastoupil do prvého vlaku, co tam uviděl, a pak jel a přesedal tak dlouho, až konečně doputoval, kam chtěl. Ale jednou se prý už z takových cest nevrátil a zbytek života strávil ve vlacích. Jezdil a stále přesedal a prý se tam snad i oženil a v lůžkových vozech počal děti. S důvěrou vložil svůj život do rukou železnice a větší pocty se jí nemohlo dostat. A kdybych chtěl jednou napsat nezpochybnitelnou chválu železnic, byl by to fantastický román o tomhle podivínském muži. A to je tak to jediné, co v tuhle chvíli (nezlob se, dědo) dokážu ve prospěch ajznbonu říct.

S Vrchlického vdovou

Dáma, která mi to vyprávěla, pravila, že smím všechno zapsat jedině pod podmínkou, že z mého zápisu nikdo neuhodne skutečná jména. Takže abych tě dokonale zmátl, čtenáři, přemístil jsem příběh do Brna, kde se nikdy neudál, a hlavního hrdinu, současného českého prozaika, jsem přejmenoval matoucně na Jaroslava Vrchlického. Snad je mi rozuměno, příteli.

Jaroslav Vrchlický nečekaně zemřel na infarkt a na jeho pohřeb vyslalo české centrum PEN-klubu delegaci v čele se spisovatelem Stránským. Tři týdny po pohřbu klečela vdova v záhonu sbírajíc slimáky, když přiběhl kocour, zasmušile na ni pohlédl a kousl ji do ruky. „Okamžitě jsem ho poznala," řekla mi vdova, „protože to, co učinil, byla zlomyslnost a těmi mě můj muž zahrnoval denně."

Samozřejmě to změnilo způsob nakládání s kocourem. Dostával teď lepší stravu a získal právo chodit do Vrchlického pracovny a spát v jeho ložnici. Ale dejme zase slovo vdově: „Promlouvala jsem teď k němu, aby si byl vědom, že ho plně respektuji, ale nenamáhal se mi odpovídat. Ale ani tím se nelišil od Jaroslava. Každodenní drobné zlomyslnosti a netečnost ke všemu, co se přímo netýkalo jeho spisovatelského majestátu, takový byl přece Jaroslav vždycky, když pominu těch několik měsíců, kdy se o mě ucházel. Ale bohužel tím, že teď získal mladé kocouří tělo, propadl znova svým starým náruživostem. Ach, bylo to zvláštní, vzít Jaroslava do přenosky a odnést ho k veterináři a tam požádat o ten standardní úkon. Vám se to třeba může jevit jako kruté, ale nic nevíte o tom, že Jaroslavova galantní dobrodružství ho vždy jen zbytečně vyčerpávala a doplácelo na to jeho dílo."

A prý se teď ve Vrchlického pozůstalosti objevil velký balík rukopisů.

„Přesně tak. Tři a možná čtyři nové Jaroslavovy romány! Vždy jsem zapisovala, co Jaroslav diktoval, přestože jsem nepochybovala, že psát bych uměla taky. Jenže, pochopte, za jeho života to jaksi nepřipadalo v úvahu."

A to jste ještě nezmínila, že do vašeho života vstoupil mladý básník.

„Bylo příjemným překvapením přesvědčit se, že ještě stále jsem Múzou umělců. Ale že neuhodnete, co mě na něm nejvíc zaujalo?"

Poddám se.

„Víte, má takové roztomilé lícní kosti. Dovedu si představit, že jednou z něho bude moc krásný kocour. Ale slyšela jsem, můj drahý, že vy také píšete knihy. Ale hej, hej, kam tak najednou spěcháte? Chytla vám snad v zadku koudel?"

Švédské stoly aneb Jaký jsem

Poprvé v životě mě v Brně pozvali na nějaký raut, a to přímo na radnici. Když ve sněmovním sále skončila velká slavnost, jíž se podle odhadu novinářů zúčastnilo pět set hostí, octl jsem se v presu čtyř set devadesáti devíti rautuchtivých, pokoušejících se promáčknout do rytířského sálu.

Patřím k těm, co se vždycky nechávali odstrkovat od plných mís, neboť jim bývalo trapné rvát se o tučná sousta. Ale zároveň jsem vždy cítil trpkou křivdu, že právě já, renesanční duší milenec života, mám jen hladově přihlížet těm, co si trhají z živého masa skutečnosti ty nejlepší kusy. A tak jsem se rozhodl, že tenhle raut bude příležitostí konečně s tím něco udělat.

Rytířský sál nepočítal s takovým srocením hlav, jež se teď začaly pozvolna otáčet a jejichž chřípí se zachvělo a nozdry hlasitě nasávaly. A vždyť nás tady čekaly nejen švédské stoly, ale také teplá kuchyně s grily, rošty a rožni, kde gastronomické poklady před našima očima dozlatova dozrávaly. Rozhodl jsem se, že se vypravím ke grilu, avšak proud mě strhl kamsi jinam, ale protože jsem tušil, že i tohle bude dobrý tah, nechal jsem se unášet davem, což jinak nečiním, a dostal se tak do samé blízkosti steaků a řízečků. Ale kolem nich byl neprostupný kruh, takže mi nezbylo než přes čísi rameno natáhnout žádostivě ruku. Ale kdosi mě přes ni hned pleskl jak malého prvňáčka, kterého přistihli, že si hraje s něčím v kalhotách.

Naštval jsem se. Tak tohle snad nemám zapotřebí! A proklínal jsem chvíli, kdy jsem se uvolil přijmout pozvání na radnici. Člověk nemá nikdy jednat v rozporu se svým přesvědčením... Tlačil jsem se k východu, už zas pohrdaje tím tupým davem kolem. A pak jsem uviděl stolek přeplněný nejlahodnějšími chlebíčky, úplné lahůdkářské klenotnictví, a řekl jsem si, že jenom tak v chůzi do toho rukou zajedu a vezmu si pár kousků na cestu do té nevlídné, hladové večerní tmy. Ale jak jsem se pokusil jen tak v letu uchopit čtyři nebo pět (no, možná šest nebo sedm) chlebíčků, smetl jsem jich deset nebo dvacet lidem pod nohy, A jakási dáma jak na potvoru hned uklouzla a vlašák z těch chlebíčků vystříkl pánům až na náprsenky. A kdosi řekl Kurva! a zvedl hlavu ke mně.

A tak jsem si rychle vyzvedl v šatně kabát a spěchal z radnice. Ale zapletl jsem se tam do nějakých radničních chodeb, jako kdybych bloudil v kafkovském zámku. A najednou jsem uviděl stolek s cukrářskými pochoutkami. Takže jsem byl ještě pořád v prostorách určených rautu. Jenže tady jsem byl sám, jen s milou slečnou, která mi teď vyšla vstříc. A když mě s úsměvem vyprovodila ke stolku, kolem něhož se netlačil žádný rautuchtivý dav, taky jsem se usmál a zeptal se, jestli bych místo rakviček nemohl raději dostat punčového indiánka.

Znova se usmála: Ale drahý pane, tohle nejsou cukrářské výrobky, ale maličké vzorky skutečných rakví. Vyberte si jednu a my vám ji tady hned ušijeme na míru. A železným stiskem mě uchopila kolem ramen.

Poděkování a lásku vám

Nezvalův verš „poděkování a lásku vám" byl po čtyři-
cet komunistických roků tak často citován v čítankách,
na nástěnkách i ústy zasloužilých papaláščíků, až se stal
součástí „ideologického folkloru", takže si už dnes ne-
jsem jist, z čeho vlastně je, z které Nezvalovy básně.
A právě pro tuhle jeho sémantickou rozkolísanost si ho
chci teď vypůjčit coby refrén do svého textu.

A první „poděkování a lásku vám" adresuji estébá-
kům, kteří se objevili krátce poté, co jsem se narodil,
tedy jako sudičky u mé kolébky. Bylo to druhým rokem
německé okupace a otec v té době kantořil v malé ves-
ničce Lukovany a ti estébáci se jmenovali Geheime Staats-
polizei, slovem gestapo, a přišli na čísi udání, že v budo-
vě lukovanské školy jsou ukryty letáky a další protiříšský
materiál. Gestapo prohledalo celou školu, včetně všech
učitelských bytů, a při tom hledání (ostatně bezvýsled-
ném) se na chviličku zastavili i nad mou postýlkou. Že
by v pokušení nadzvednout mě a převinout? Ale tohle
první setkání si osobně nepamatuji. Mám ho až z druhé
ruky.

Ale už z první ruky mám druhé setkání. Což bylo o de-
set roků později. Krátce po otcově emigraci přišli znova
na domovní prohlídku a nejmenovali se už gestapo a ne-
bylo to už v Lukovanech, nýbrž v Brně. Jeden z estébáků
měl za úkol držet mě během bytové prohlídky v kuchyni
a tam ke mně otcovsky promlouval. Ale když se pak sklo-

nil, aby mě protektorsky pohladil či co, hbitě jsem se mu zakousl do prstu. Tož vidím to jako dnes. Okamžitě se vztyčil, zuřivě třepal rukou a táhl mě na tom prstě (prostředníku?) nahoru jako nějakou větší myš. A potřetí jsem se s nimi setkal až v roce 1989 na jaře. Doručili mi písemnou pozvánku a očekávali mě ve velké estébárně v dnešní Kounicově, tehdejší Leninově ulici. V budově bývalého ředitelství „Moravsko-slezských železnic". Samozřejmě byli dva: prudký elegán a loudavý plešatec. Chovali se korektně. Usadili mě do křesla a na mou žádost mě poučili o mých právech. A pak mi vysvětlili, že si se mnou jen chtějí popovídat o mé literární činnosti. Avšak nebyl jsem zas tákový blbeček, abych nevěděl, že je to jen zástěrka.

Mezi druhým a třetím setkáním je, jak si laskavý posluchač povšiml, dlouhá pauza. Bezmála čtyřicet roků. Během těch čtyřiceti let jsem se občas od někoho doslechl, že mě zpovzdálí sledují. A je dost pravděpodobné, že mi ta echa posílali sami: chtěli, abych věděl, že o mně vědí. Byl jsem syn emigranta a můj strýc promlouval ze Svobodné Evropy a z Hlasu Ameriky. Když jsem se v šedesátých letech dvakrát pokusil dostat do literárních redakcí, do redakce časopisu Plamen a do literárně dramatického oddělení brněnského rozhlasu, vždycky to po velice nadějném rozběhu narazilo na jakousi neviditelnou zeď. Ale tušil jsem, kdo byli ti stavitelé neviditelných zdí. A naučil jsem se tak nedůvěřovat mnohým, možná dobrým lidem, co se najednou objevili v mé blízkosti, a já si byl skoro jistý, že jsou to jejich, abych tak řekl, čidla, senzory. Stávaly se mi i různé drobné příhody, které jsem možná neprávem považoval za jejich škodolibé kousky. Ale každý, kdo se s estébáky setkal, potvrdí, že měli vyvinutý smysl pro zvláštní, zlomocné hry, pro pohrávání s lidmi.

A proč jim tedy adresuju „poděkování a lásku vám"? V roce 1987 jsem napsal povídku „Policajt-story", která se pak stala zárodkem románu „Uprostřed nocí zpěv". A právě nad tímto románem jsem si poprvé uvědomil, že estébáci a jejich obskurní činnost se stali jedním z mých základních literárních témat. Vždyť už kafkovská atmosféra mých povídek publikovaných v šedesátých letech nemá svůj původ v literatuře, ale v dětském zážitku setkání s tajemnou nedozírnou mocí, reprezentovanou chlapíky v civilu, co vpadli do našeho bytu. Uvědomil jsem si, že patřím k těm autorům, pro něž existence estébáků je stejně nezbytná jako existence ďábla pro sepisovače středověkých mystických traktátů.

Ale chtěl bych své „poděkování" teď ještě konkretizovat na jednom názorném příkladu. Při psaní románu „Uprostřed nocí zpěv" jsem se v březnu roku 1989 dostal až ke kapitole, v níž se můj hrdina octne ve vyšetřovací kóji šilcárny na Lenince. Měl jsem snad jistou představu, jak to tam asi vypadá, ale chyběly mi realistické detaily, jež jsou odedávna takovými rozinkami a mandlemi ve vánočce imaginace. A už jsem si myslel, že se budu muset bez rozinek a mandlí obejít, když se mi dostalo zmíněného pozvání. Takže je teď na místě, abych čtenáře románu „Uprostřed nocí zpěv" upozornil, že prostory velké estébárny na Lenince, tak jak je popisuji ústy svého hrdiny v jednom srpnovém dni roku 1970, jsou ve skutečnosti prostorami, s nimiž jsem se seznámil až jednoho březnového dne roku 1989. Jde tedy o jev, který bych nazval „časovou licencí".

Když jsem tudíž v březnu 1989 procházel chodbou v prvém poschodí estébárny v tehdejší Leninově ulici, chopil jsem se příležitosti a pozorně se rozhlížel a zapisoval si do paměti detaily (rozinky a madle) a věnoval zvědavou pozornost i každému pohybu provázejícího estébáka. A se stejným zájmem jsem si prohlédl i vyšetřovnu, kam mě zavedl. V té chvíli bylo už totiž rozhodnuto, že na stropě právě téhle místnosti se odehraje jedna z vrcholných scén mého románu. Právě tady potkáni napadnou agenta KGB Lopuchina. A jen díky tomu, že jsem se takhle na tu vyšetřovnu a její estébáky díval jako na součást svého románu, dobral jsem se já, člověk plachý a bázlivý, naprostého klidu a jistoty, což mi pak umožnilo chovat se, jak jsem byl pro ten případ instruován přáteli, co si už absolvovali nejeden výslech.

Nespornou výhodou spisovatelské profese je, že to, co vás nezabije, může vám být užitečné ve vašem románě. A to je případ taky dvou ostrých vlčáků, kteří mě napadli, zrovna když jsem si rozepsal román Avion. Ale protože mě ti chomouti nestačili roztrhat, skončili v Avionu jako románové postavy. (Ach, kdyby jen trochu uměli číst!) Jinak řečeno, každý, kdo mi položí křížem stéblo, potká se nakonec v některém z mých románů. Tak už to chodí, baj, baj.

Skutečnější než skutečnost

Na prázdniny u příbuzných v Osové Bítýšce jsem si v roce 1950 tajně vzal z knihovny svých rodičů román „Já Pascal Dérivat" od Henriho Bosca. Bylo mi tenkrát deset roků a tento příběh z horkého léta kdesi v Provenci byl mým prvním setkáním s beletrií, tedy s tím, čemu se česky říká „krásná literatura". Do té doby jsem četl jen pohádky, rodokapsy, verneovky, mayovky, foglarovky, cliftonky a wallaceovky. Ano, tak je to, v první životní dekádě, v tom nesporně nejintenzivnějším a v mnohém ohledu i nejdůležitějším a pro další život určujícím období sytíme svou duši pohádkami, ať už v jejich ryzí, křišťálové podobě anebo v tom pohádkovém odpadu, kterým jsou rodokapsy, cliftonky atd.

Ale nejde jen o to, že pohádkami vstupujeme do světa vyprávění a imaginace, ale vždyť my takto vstupujeme do světa vůbec. Celý svět má totiž na počátku pohádkové kontury a právě pohádky jsou zde tou „skutečností skutečnější než skutečnost". A takto se v těch určujících letech dovídáme, jak je svět zároveň krutý (ta děsivá krutost draků a černokněžníků) a zároveň opojně krásný (ta zázračná krása Popelek) a že je plný těch nejfantastičtějších bytostí a že to, za čím máme neúnavně jít, je hledání dobra, krásy a boj se zlem. A i když nám to později přijde co každodenní program naprosto nekompatibilní s životní praxí, přece jen tahle pohádková idea udržuje nakonec svět v jakési rovnováze, takže se zatím nepřekotil do pekel.

Hlubinná psychologie upozornila už dávno na faktickou existenci pohádkových netvorů i dobrých vil, Aladinových lamp i domků na kuřích nožkách, to všechno můžeme totiž potkat a vidět, když budeme jen trochu chtít a uvědomíme si, že ty tváře kolem nás jsou jen masky všednodennosti, skrývající docela jinou skutečnost. Hlubinná psychologie nás už dávno upozornila, jak důležité jsou pohádky v našich životech a že jejich funkce zdaleka není jen výchovná, nýbrž že se v nich odnepaměti transportuje základní kapitál duchovního života lidstva, ten z „bankovních sklepů", z archetypálních pokladů kolektivního nevědomí.

Obrovský boom jihoamerické literatury, který stále ještě doznívá, předvedl sugestivním způsobem, jak se přítomnost spřahá s mytickou minulostí, jak reálný čas koexistuje s pohádkovým prostorem a jak divoká setba snů vzchází, kam jen pohlédneš. Magičnost jihoamerické literatury dnes už infikovala dokonce i literární mainstream na celém světě. Vzpomínám si, jak mě kdysi překvapilo, když i spisovatel Karel Pecka prohlásil, že je Andersenem české literatury, ale jak jsem si pak uvědomil, že tohle je prostě už převažující trend a že dnes už obecně platí, že literatura nezobrazuje, nezrcadlí realitu, ale má ctižádost najít tu pohádkovou třináctou komnatu a v ní ten zastřený obraz.

Odedávna samozřejmě vím, že jsem pohádkář a že všechny románové i povídkové příběhy, co píšu, nejenže využívají pohádkových motivů, ale mají taky svou pohádkovou dikci a stylizaci a jejich vypravěči dokonce některé pohádkářské zlozvyky. Většinu svého dětství jsem prožil v Brně a myslím, že je to taky na mém povídkovém a románovém Brně znát, můj pohádkový štatl, a teď už jen obtížně rozeznávám, co je skutečnost a co jsem si do Brna přibájil, importoval ze svého podvědomí, kde vlastně začíná a končí můj pohádkový canc. A přiznám se, že odedávna opovrhuju takzvanými realistickými vypravěči, těmi „upocenými opisovači života", řečeno s Milanem Kunderou. Tož vězte, že celé tuny tzv. realistické literatury mohou být vyhozeny do povětří jediným zrnéčkem bájného a magického a že jen skuteční ignoranti nechtějí vědět, že sudičky nám opravdu předou nit života a že ty stopy, které jsme ráno zametli na zápraží, se tam objeví každé noci znova.

Ale vrátil bych se ještě k tomu, čím jsem začal. Měl jsem samozřejmě štěstí, že mým prvým setkáním s „krásnou literaturou" byl právě nádherný román Henriho Bosca, který začíná jako docela realistický příběh z horkého léta kdesi v Provenci, ale pak se postupně proměňuje v pohádku, což se tam děje tak samozřejmě, jako když „dřevo se listím odívá". Ale abych to zas nepřecenil. Myslím, že bych měl totéž štěstí, kdyby tou mou první knihou beletrie byl třeba Čapkův Krakatit anebo, co já vím, Cervantesův Důmyslný rytíř, abych zůstal jen u klasiky.

Když ve čtyřech pěti letech v nás začíná pulsovat ta překotná dychtivost po uchopení světa, jež nás pak žene už jen dál a dál až k branám dospělosti, nemáme samozřejmě nejmenší tušení, že teď právě, v těch čtyřech pěti letech, jsme už v centru toho světa, k němuž se tak klopotně dereme, a že ho teď právě vnímáme v jeho nejzjitřenější podobě, v ostrosti všech jeho barev a se smysly nastavenými na maximální intenzitu. Když v dětství netrpělivě vzhlížíme k dospělosti jako k nedostupnému ráji, nemáme jistěže nejmenší tušení, že teď právě jsme v centru ráje, po němž se nám pak bude po celý život už jen stýskat, po němž pak budeme už jen nýt touhou a marně hledat zpáteční cestu.

A stejně tak je to i s pohádkami. Veškerá literatura je totiž z tohoto zdroje imaginace a vyprávění odvozená, veškerá literatura je v tomhle smyslu druhotná. Ale bohužel se už taky nelze vrátit zpátky. Otupená imaginace a smyslovost dospělosti musí být rozrušována stále dalšími a dalšími umělými senzacemi a literatura musí hledat stále nové a nové cesty a nejen k probuzení našich smyslů a obraznosti a jakéhosi nejzákladnějšího etického vědomí, ale především k upoutání pozornosti. Psát příběhy je stále namáhavější, protože musíme hledat pořád nové fígle, finty a finesy a stále rafinovanější postupy, když chceme jen trochu zaujmout. A tak se literatura překotně vzdaluje svým zdrojům. A pak se může taky stát, že jednou zapomene, že je postavena na pohádkových zá kladech, tak jak je celý život člověka postaven na jeho dětství.

To všechno jsou fakta, s ktcrými se nedá nic moc dělat, ale přesto je dobré je aspoň občas připomenout.

Odpověď na anketní otázku

Byl jsem svědkem toho, jak v jedné okrajové brněnské čtvrti jakási agentura prováděla průzkum a jak to brali hákem. Klidil jsem se z cesty, ale vidím, že se jim, nevarován, blíží v ústrety místní bezdomovec a na podvozku z kočárku si veze všechno, co by snad mohl potřebovat. Napřed byli v pokušení přece jen se mu vyhnout, ale pak si řekli, že i bezdomovec je statistická jednotka, a tak ho oslovili. A co prý očekává od nacházejícího konce století a tisíciletí a jestli to bude ta hvězdná hodina lidstva? Jen trochu přibrzdil kočárek, usmál se a řekl, že nečeká vůbec nic, protože ten konec století a tisíciletí už přece dávno byl a všechno se už dávno stalo. Taky se usmáli, neboť jim bylo jasné, že nic jiného od takového respondenta ani nemohli očekávat.

Vtip je samozřejmě v tom, že ten bezdomovec měl dočista pravdu. Skutečně je tomu tak, že ten důležitý předěl a ten práh a ta osudová výhybka jsou už dávno za námi a prošlo to bez velkého povyku, celkem nepozorováno. Poslední roky šedesátých let, tam kdesi končí to, čemu říkáme náš věk, a my teď už dobrých třicet roků žijeme v úplně jiném století a tisíciletí.

A nejzřetelnější je to na výtvarném umění. V druhé polovině šedesátých let a na počátku sedmdesátých se stalo cosi podstatného a ten předěl je pro naprostou většinu těch, co byli ještě zaujati geometrickou abstrakcí a abstraktním expresionismem a co ještě bez reptání přijali op-art i pop-art, ten předěl je už najednou nepřemostitelnou propastí. A tak v malířských ateliérech se dnes už nejspíš jen vyrábějí ozdobné bibeloty, zatímco do těch skutečných výtvarných dílen se už dávno nestoupá po půdních schodech a potkat malíře se štaflemi je už jak narazit někde v bistru na bílého jednorožce. Výtvarné umění nekončí, jen se z podstaty proměnilo a už vůbec nejde o to produkovat výtvarno. A nejinak je tomu s literaturou. Dva poslední opravdu velcí romanopisci, García Márquez a Milan Kundera, jsou běženci ze šedesátých let a na jejich nostalgickém rukopise je to znát. A na konci sedmdesátých let napsal francouzský spisovatel Georges Perec nádherně obludnou knihu „Život, návod k použití", která nakládá s materiálem skutečnosti tak nečekaným způsobem, že většina z nás na to ještě není připravena.

A nadarmo jsem nezačal tím bezdomovcem. Už třicet roků jsme všichni bezdomovci, aniž o tom víme. Náš svět už hodně dlouho není tím domovem, za jaký ho pořád ještě máme. A to, co bych si troufal nazvat absolutní proměnou výtvarného umění i literatury, je nakonec jen nejzřetelnějším příznakem toho, čím od konce šedesátých let prošla veškerá naše skutečnost. Takže jako ten židenický bezdomovec, který si na kočárkovém podvozku veze všechno, co kdy může potřebovat, odpovídám, že od konce našeho a počátku nového století a tisíciletí nečekám nic, co by se už nestalo. Už dávno žijeme v úplně jiném století a tisíciletí.

Prosinec 1999

151

List z venkova

Už před léty jsem přenechal brněnskou garsonku dceři a přestěhoval se do domku po rodičích své ženy. A octl se tak ve vesnici přifařené k Moravskému Krumlovu. Můj pokoj sousedí se zahradou, takže od brzkých hodin je v něm bezuzdného ptačího křiku, až občas vysunu ruce z okna a zatleskám. Ale pro ptactvo nejsem žádnou autoritou. Kdyby aspoň plnili své povinnosti a pečlivě vysbírali hmyz. Takhle mi zahrada často uroní přímo na koberec housenku, a než se mi ji podaří namést na lopatku, mizí pod skříní. Obracím hlavu ke stropu v gestu bezmoci, ale setkám se tam s utkvělým pohledem dvou brouků. Ukážu jim, že mají pokračovat svou cestou, protože pokusit se je sundat znamená spustit si je za krk.

V noci se probudím, marně šátrám po sklenici, musím rozsvítit. Chyba. Na pokrývce uvidím přítelkyni housenku obstoupenou mravenci. Tuhle situaci dobře znám z literatury. Ale přece ne v mé posteli! Vyskočím, běžím s pokrývkou k oknu. Když se vrátím, na prostěradle mě čeká malé stádce mravenců, zvědavých, co teď udělám. Dělám to, že si kleknu a rozeberu skládací válendu pátraje v jejích útrobách. Dost o hmyzu.

Má žena krasopisně vládne všemi nástroji, s nimiž je občas třeba vyrazit do zahrady. Jen ji zbožně pozoruji, a když náhodou potřebuju nějakou kytku do svého románu, jdu si pro ni do encyklopedie, přestože mi roste pří-

mo pod oknem. Však když žena není doma, stane se mi
někdy, že vezmu nůžky, kterými prostříhává stromy, a na-
pochoduju do zahrady a v samé blízkosti jarně ochmýře-
ných větviček cvakám do vzduchu, cvak cvak. Ne, neboj-
te se, milé stromy, to já jen tak.

Teď je dokonce módní opouštět města a přelévat se
na venkov. Jenže já jsem jiný případ. Neznám většího
štěstí než stoupat výtahem ve stařičkém pancláku. Vylíhl
jsem se z dobře vyseděné dlažební kostky, a když zas
jedu do svého Brna, je to vždycky, jako když chrt běží za
elektrickým zajícem.

Už jsem to snad kdysi řekl. Příroda mě k smrti nudí
a jen města jsou schránami mých mystérií. A když stro-
my, tak ne les, nýbrž městské parky. A když zeleň, tak ne
louky, nýbrž podupané trávníky před supermarkety. A když
moře, tak ne pláže, ale městská mola a velké městské
přístavy. A když koně, tak ne mustangové, ale koníci
městské policie klusající v Brně po Kolišti. A když hmyz,
tak ne motýli nebo cvrčci, nýbrž vyzáblé jarní mouchy
mezi okny věžáku.

Ale promiňte, teď už musím zatáhnout žaluzie, proto-
že právě zapadá slunko a vesnický soumrak už kýčovitě
kraluje obloze a uráží mé estetické cítění.

Obrana fejetonu

Fejeton je zvláštní žánr, o nějž se, abych tak řekl, přetahují anděl s čertem. Přičemž z pohledu literáta je tím čertem publicistická aktuálnost, která fejeton často degraduje na společenský a politický sloupek, zatímco z hlediska novinářského jsou zas těmi čerty odskoky do literatury, nad nimiž prskají šéfredaktoři. Čtenář ovšem ví, že jak aktuálnost, tak literárnost jsou zároveň andělskými dvojčaty fejetonistického žánru. Ale protože jsem spíš literát než novinář, chci teď bránit fejeton jako takový druh textu, který se naprosto liší od všeho ostatního v novinách, a měl by tudíž být vítaným, ano, hýčkaným vetřelcem, vždyť jeho posláním je upozornit například na to, že lidský život je proboha taky něco jiného než jen politika.

A čím mi tedy je fejeton? A kdybych ho teď přirovnal k něčemu z jídelního lístku, nebyl by to zmrzlinový pohár, ale třeba dobrý koláč. A z dopravních prostředků samozřejmě bicykl a z příbytků mansarda a z nábytku stolička řečená štokrdle a z hudebních nástrojů foukací harmonika a z mincí zlaťák, který lze ozkoušet zuby, a ze svítidel třeba zahradní lampion a z květin pouťová růže a z ptactva sýkorka mlynařík a ze zvířat domácí kocour a z hmyzu čmelák a z vojenských povelů: pohov, volno, kouřit povoleno! a z kuřiva cigáro a z nápojů džin a z hříchů lenost, ta kojná fantazie, a z přírodních zákonů ten, co zeleným zápalníčkem květinu žene, a ze živelných pohrom jen takový stupeň zemětřesení, co rozezvučí skleničky v příborníku, a z kopanců zas ten, co odhodí klauna do pilin, a z velkých vynálezů například lžíce na nazouvání bot a ze způsobů smrti, ano, ze způsobů smrti ta při milostném konání. K tomu všemu bych přirovnal fejeton, abych tak každým z těch přirovnání vyslovil některou z jeho charakteristických vlastností.

Kdysi hodně dávno, když mi bylo šest nebo sedm roků a přebývali jsme ještě v Žabovřeskách, v té nekrásnější z brněnských čtvrtí, bydlel v nedalekém Jundrově jistý velice známý fejetonista, který přispíval do všech významných československých listů. Ale ani kdybyste mě otáčeli na rožni, nevybavím si už jeho jméno, ale zato si docela přesně pamatuju, jak můj otec, který občas taky psával, moc stál o setkání s jundrovským fejetonistou. Což však bylo možné jedině při kuželkách v tamější hospůdce na břehu Svratky. Otec se napřed v jiné hospůdce dlouho učil kuželky hrát a teprve pak se vypravil do Jundrova. A pozdě večer se vrátil ve slavnostní náladě. Nejenže mluvil s fejetonistou, ale ten dokonce přislíbil otce navštívit. A když jsem ho pak uviděl, podle jeho oblečení a chování jsem ihned pochopil, že fejetonista je víc než prezident. Ach, kde jsou ty časy, kdy fejeton byl, řečeno s Vaculíkem, slavné a revoluční slovo.

S městem za zády

Žamputáři

Řekl bych, že čcština už jedenáct roků reaguje na zážitek svobody s půvabnou rozverností a že nám ještě víc zobrazněla, zbarevněla a znova předvedla svůj smysl pro humor (za totáče, překabátit, tuneláři, harašení, erosenky, sekáč atd.) a zase se tak prokázalo, že je živým organismem. Proto nemám ohavy, že si nebude vědět rady s anglicismy, amerikanismy a že tu jejich záplavu nezpracuje a nepročistí. A přiznám se i k upřímnému potěšení ze všech těch jazykových bizarností, například ze slova chucpe, které k nám připutovalo z jidiš a jež na rozdíl třeba od takového kchajlovat, co kdysi převzal brněnský slang z hebrejštiny, je součástí salonního jazyka. A taky mě zaujalo, jak se z klinické smrti probudily rozličné archaismy, ty roztomilé jazykové godzily, připlouvající k nám z hlubin času. A největším překvapením je pro mě příslovce potažmo, vždyť má zřetelnou prvorepublikovou patinu, a představuju si, že nějaký novinář ho vytáhl z Peroutkova Budování státu. A to jsme už u toho, oč mi jde. Chtěl bych se totiž taky přimluvit za jedno slovo, i když je mi jasné, že slova se do jazyka nevracejí přímluvami. Ale posuďte sami:

Nuže, je to slovo, které bychom pravděpodobně také našli v Peroutkově publicistice, ale jehož dostatečným doporučením by mohlo být už Šaldovo užití, citované ve Slovníku spisovného jazyka českého. F. X. Šalda mluví o „politických žamputářích". Ale jak sami cítíte, žamputář neznamená prostě jen žvanil, jak stojí ve slovníku, nýbrž je to žvanil jistým způsobem institucionalizovaný. Přesně tak, na žamputáře musíte mít mandát. Ze zmíněného slovníku se nic nedozvíme o původu tohoto slova, takže se nedá například vyloučit, že vzniklo přesmyčkou z jiného slova, přesmyčkou ze žumpatáře, což by mohl být ten, kdo žumpy čistí, zatímco žamputář zas ten, kdo je naplňuje. Čím? Slovními pomejemi, splašky, fekáliemi. Velké, bachraté žvásty mu padají s žuchnutím z huby, a pokud zavčas neuskočíte, čvachtavě vás připlácnou!

Devadesátá léta byla především rájem žamputářů, to oni měli pré a občan na ně dlouho hleděl jen s obdivem. Vždyť květnatost a košatost, ba jistá poetičnost žamputářských žvástů byla čímsi tak neobvyklým pro nás, kteří jsme přivykli k smrti nudnému žvatlání komunistických aparátčíků. Žamputářem se na naši scénu vrací předválečný mluvka, který dovedl, když bylo třeba, zaujmout, okouzlit, fascinovat. V tom slově je nepochybná čpící důstojnost, a když si jen trochu přidržíme nos, můžeme ocenit i konzervativní starosvětskost žamputářů. Takže vyzkoušejme si to zatím nanečisto:

Televizní Sedmička žamputářů. King českých žamputářů. Souboj dvou čelných žamputářů skončil vzájemným žamputováním. Výron čirého žamputářství. Veřejná žamputace. Je tady už přežamputováno. Vyrost z něho zdatný žamputář. V žamputářství neměl rovna. V žamputaření neznal bratra. Prožamputařil svůj politický kapitál. Nažamputařil si celé jmění. Žamputářský potenciál strany rostl. Před volbami kraj zavalily mraky žamputářů. A dál už pokračujte prosím sami. A šťastnou cestu tomu slovu, ujme-li se.

Předmět

Nikdy jsem si nevedl deník a napsat něco přímo o sobě, tedy takzvaně autentického, by mě jen uvedlo do rozpaků. Nedeníkuju, nýbrž fabuluju. Ale jednou za čas se má porušit i to nejposvátnější pravidlo. Pan prezident nebyl ještě žádným prezidentem, psal se rok 1987 a měsíc září. Přijel jsem na schůzku zakázaných spisovatelů na Hrádeček. Scšli jsme se tam ve velkém srocení, od Karla Pecky po Petra Kabeše, a povídalo se dlouho do noci. Ale jakmile jsem zjistil, že je půlnoc, zvedl jsem se, že už půjdu spát (když jsem v sedmdesátých letech chodil do fabriky na noční, zařekl jsem se, že dobrovolně nebudu přes půlnoc nikdy bdít). A protože jsem byl na Hrádečku poprvé, nechal jsem si vysvětlit, že mám jít vedle do stodoly a tam vylézt po žebři na ochoz, kde už najdu noclehúrnu a vyberu si nějakou postel. Což se taky stalo. Jen mě trochu překvapil ten apartní dvojlůžkový pokoj.

Svlékl jsem se a běžel bosky zhasnout, dlaněmi si otřel chodidla a vklouzl do postele. A sotva jsem ulehl, ucítil jsem to lahodné mrákotnění na hranicích spánku. Roztáhl jsem ruce jak na nějakém slastném kříži a pravou přitom zajel pod prošívanou deku vedlejší postele a dotkl se čehosi hebkého, hedvábného a přitáhl si to blíž. Byla to dámská noční košile. Ale to už mě náraz poznání vyhodil z postele jak z jedoucího vlaku.

Napřed jsem u postele chvíli dřepěl, otřesený z představy, co by se stalo, kdybych tam býval usnul (ale jistě, můj život je vytrvalý sled trapasů a společenských faux pas). Pak jsem se potmě pokoušel ustlat. Rychle jsem se oblékl s vytratil z ložnice a hned vedle našel tu noclehárnu s dlouhou řadou postelí pro účastníky undergroundových koncertů. Ráno jsem pak šel za pánem na Hrádečku a přiznal se, co se mi v noci přihodilo. Pobavilo ho to a svěřil mi, že si vůbec nevšiml, že jsem navštívil jeho postel.

A byla by to jen trapná historka, cenná pouze svou autentičností, nebýt jednoho detailu, který jsem v předchozích řádcích záměrně opomněl. Takže zpět. Když jsem potmě dřepěl vedle postele, dotkl jsem se nějakého malého předmětu. Ale protože jsem tam už nechtěl svítit a nebyl si tedy jist, jestli to není něco, co mi při svlékání vypadlo z kapsy, vzal jsem si to k sobě, rychle se oblékl a zmizel. A teprve ve vedlejší místnosti, v té noclehárně, jsem si to při světle prohlédl.

Když jsem se pak ráno pánu na Hrádečku omlouval, ukázal jsem mu ten předmět. Položil si ho na dlaně, obrátil prstem a řekl, že to nepatří ani jemu, ani jeho ženě. Od té doby to mám doma, buď v zásuvce, anebo přímo na stole. A tak si to teď prohlížím s lítostí, že v tomhle sloupku už není dost místa na podrobný popis toho předmětu. Ale zároveň také s radostí, že jsem pro něho konečně našel účel a smysl. Stane se totiž tajemnou pointou téhle jinak dost nicotné historky. Ernest Hemingway kdysi pravil, že každý příběh má končit smrtí. Já si však myslím, že každý má končit tajemstvím.

Trest za zrcadlo

Jako kluk jsem přišel na nápad, o němž jsem pak mnohem později zjistil, že na něj přišla už spousta lidí přede mnou a nepochybně přijde ještě spousta lidí po mně. Ten nápad je totiž jedním z těch, které jsou obecným majetkem lidstva, ale když na něj sami poprvé přijdete, zatají se vám dech.

A protože mluvím o klukovském nápadu, zůstanu u jeho původní podoby, jednoduché jak klukovský prak nebo hra v kuličky. Když se podíváte na hvězdnou oblohu, je to úplně totéž, jako kdybyste se podívali tím nejsilnějším mikroskopem do nitra hmoty, protože co je nahoře, je zároveň i dole. Vesmír má svůj přesný zrcadlový obraz v molekulárním a atomovém složení hmoty a naopak. Žijeme tedy ve vesmíru, který je ve skutečnosti jen stavební látkou obrovského makrosvěta, a složení naší hmoty je zas ve skutečnosti bránou do mikrovesmíru. A tak pořád dál. Makrosvěty a mikrosvěty jsou zaklínčny do sebe a běží oběma směry v nekonečné řadě.

Z toho ovšem plyne celá spousta dalších závažných skutečností. Například ta, že příběh, který se odehrává teď a tady, v našem světě a našem vesmíru, se zároveň odehraje v nekonečném množství dalších světů a dalších vesmírů. A dále z toho samozřejmě vyplývá, že nikde není žádné centrum a nikde žádná periferie, protože v té nekonečnosti vzájemně se zrcadlících světů není možné určit ani jejich střed, ani jejich okraj.

Ale zatímco většina lidí tento nesporně zábavný nápad už dávno opustila jako infantilní, já mu zůstal věrný dík své s prominutím nehynoucí dětinskosti. A proto také v literatuře nerozlišuji mezi závažným a nepodstatným, mezi centrálním a periferním, mezi takzvanou vysokou literaturou a takzvaným kýčem. A tak mě zajímají všechny literární styly, od těch nejpokleslejších a nejordinernějších až po ty nejkultivovanější, a zajímají mě všechny vyjadřovací prostředky a všechny žánry, protože všechno je to jen nekonečný sled zrcadlících se světů, a nejsem tu schopen rozlišit střed a okraj, centrum a periferii.

Měl jsem ovšem to štěstí, že právě tento přístup je dnes obecně přijímán jako poetika postmoderny, jako něco navýsost současného.

Co je nahoře, je zároveň i dole a hvězdná obloha je jen zrcadlem struktury hmoty a naopak. A já k tomu dodávám, že skutečnost je dnes jen zrcadlem literatury. Což je trest za to, že literatura musela být tak dlouho jen zrcadlem skutečnosti.

Vzývání barbarů aneb O reklamě

Když si po dva tři dny nevyberu schránku, ucpou mi ji reklamními prospekty a inzertními časopisy. Reklama požírá celé stránky v novinách a tam, kde kdysi strašila ideologická hesla, stojí dnes reklamní billboardy, a hloupostí a vlezlostí si reklama nezadá s propagandou, jejíž místo nástupnickým právem zaujala. Reklama je barbarem demokratické kultury, a když čtete reklamní texty, nepochybujete o tom, že je převážnou většinou plodí autoři, od kterých by ani zaběhlý pes kůrku nevzal. Inu, barbaři, o nichž je ovšem známo, že nakonec vždycky pohltí civilizaci, do níž pronikli.

Z dlouhodobé perspektivy ovšem víme, že kultura, kterou zhltli barbaři, pracuje uvnitř zvolna proti nim a postupně si je přizpůsobí ke svému obrazu. A ještě jásavěji řečeno, z dlouhodobé perspektivy víme, že pohlcení kultury barbary je jen zvláštní formou pohlcení barbarů kulturou.

A tak představuju si hned českou literaturu pohltanou reklamou: verš Pavla Řezníčka ve službách odpuzovačů molů, Bratršovská s Hrdličkou píší několikasvazkovou apoteózu pastilek proti chrápotu, Michal Viewegh propůjčí své dobré jméno koncernu na výrobu hovězích konzerv a já opěvuji apartní kondomy značky Balways: „Ani nahý, ani oblečený / vstupuješ v lůno statné ženy / a jako chytrá horákyně víš, / že s Balwaysem nic nezkoníš."

165

Tak tedy v první etapě, kdy jen posluhuje firmám a nejrozmanitějším výrobkům. A teď přeskočme etapu druhou a třetí a jsme rovnou ve čtvrté, kde už pohlcená literatura zvnitřku rozhlodala barbarskou reklamu a pronikla na její místo a najednou, kam se podíváš, dobré literatury jak hnoje, a je zdrojem trvalých finančních požitků, takže podnikatelé se o ni porvou a dálnice jsou lemovány panely citujícími verše Petra Borkovce, knihy Alexandry Berkové najdeš v hotelových pokojích pospolu s Gideonovými Biblemi, premiéry komorních dramat Daniely Fischerové se odehrávají před vyprodanými stadiony, četba Švandových esejů dramaticky přerušuje akční filmy na Nově a stránky z mých románů sněží do městských ulic, rozsévané hnojnými letadýlky.

Takže tohle mě napadá, když držím v náruči stoh reklamních prospektů a inzertních časopisů, kterými zas ucpali mou poštovní schránku. Ale je to jen taková kompenzační hra, protože reklama nikdy nepohltí literaturu (literatura nikdy nepohltí reklamu). Reklama s literaturou pro sebe nic neznamenají a ničím se nedotýkají, stejně jako kdysi propaganda s literaturou. Neexistuje žádná „užitá literatura", ani žádná zušlechtitelná (reformně obroditelná) reklama. Literatura má totiž v popisu práce, že musí být nezužitkovatelná, a reklama zas, že musí být hloupá. A komu tohle není jasné, neví nic o podstatě literatury ani reklamy.

Výhrady optimistovy

Patřím k těm několika málo literátům, co ještě nemají počítač, a patřím k těm několika málo, co dokázali odmítnout lukrativní nabídku napsat televizní scénář dle vlastního románu. Jistě to říká i ledasco o mém vztahu k internetu a videokultuře. Když Gutenberg vynalezl knihtisk, našli se prý i tací, co mluvili o soumraku kultu ry, vzdyt najednou nikdo nemusel nic znát, stačilo sáhnout po knize. I zachoval bych se tedy jako ten nepřítel knih z Gutenbergových časů, kdybych nástup internetu a videokultury vnímal jako cosi katastrofického. Hodně jsem o tom přemýšlel, a tak bych teď telegraficky shrnul své úvahy.

Kniha nezanikne. Jen každý exemplář bude bibliofilií, čímž míním jak náklad knihy, tak čím dál artistnější knihařské zpracování. Knihy se budou prodávat jako drahé artefakty. Výtvarné provedení se často nadřadí obsahu.

To, co dnes známe pod etiketou románu, se stáhne do „ghett", proti nimž někdejší samizdat bude „selankou masové kultury". Internet vylíhne úplně nové literární žánry, například jakési spontánní literární hry s početnou účastí a také cosi spřízněného s gesamtkunstwerkem, ale rozhodně nebude nakloněn dlouhým a rozměrným příběhům. Ty budou čím dál víc záležitostí televizních seriálů a naprostá většina prozaiků se přešupačí na scenáristy. Až se stane totéž, co se kdysi stalo s novinovými romány na pokračování, s romány-fejetony. Z hodně pokleslé lidové zábavy se seriál neuvěřitelně změní v úctyhodný žánr. Ale takový kardinální posun je nemyslitelný bez autora stejně geniálního, jako byl Dostojevskij z časů románů na pokračování. Ale ani pak nevznikne adekvátní obdoba románu, protože ten je neodpáratelně spojen se slovem, a ne obrazem. Romány psané dál ve svých „ghettech" si půjdou svou cestou.

To nejdůležitější, čím je nástup videokultury, ale fakticky i internetu charakterizován, je odklon od slova k obrazu. Příčiny, průběh i následky tak hluboké proměny budou fascinovat psychology, sociology, filozofy, ale například i politology, protože už teď je zcela jasné, že nejde jen o nové technologie, ale že kulturu postavenou na Logos (Slově) vystřídá kultura postavená na Imago (Obraze). Ale s tím bude bezprostředně souviset i stále intenzivnější hledání nových náboženských zkušeností, provázené možná i ústupem křesťansko-židovského světa.

Jsem přesvědčen o tom, že historie lidstva je především historií Slova. A že epocha Obrazu bude jen epizodou, jež nakonec jen obohatí Slovo o další dimenzi. To je optimistická varianta. O jiné nechci teď mluvit.

Babylonská knihovna

Babylonskou knihovnou nemíním zde knihovnu hlavního města mohutné starověké říše založené dva tisíce let před Kristem, ale nejspíše tu knihovnu, o níž mluví Jorge Luis Borges v knize Zahrada, v které se cestičky rozvětvují, a jež je Vesmírem nejen pro Argentince Borgese, Itala Umberta Eca, ale například i pro Pražana Michala Ajvaze. Ale pojďme prosím ještě dál a buďme ještě důslednější.

Není totiž pochyb o tom, že každý z nás si nosí svůj Vesmír v sobě a že každý z nás, ať už o tom ví či ne, si nosí v sobě obrovskou a nekonečnou knihovnu. Řekl bych dokonce, že existuje jakýsi archetyp knihovny (a právě ten bych pojmenoval Babylonskou knihovnou), protože knihovny provázely lidstvo po rozhodující část jeho existence a za tu dobu se v kolektivním nevědomí stačil zafixovat určitý obrazec, který si každý z nás naplňuje konkrétními podobami a sytí vlastními detaily. A jakými konkrétními podobami jsem si já zaplnil archetypální obrazec?

Můj dědeček si vybudoval velikou knihovnu, kterou pak odkázal brněnské Zemské knihovně. Narodil jsem se pár měsíců před dědečkovou smrtí, neměl bych si tedy tu knihovnu pamatovat, ale přesto se mi velebně vybavuje, zvětšena do kosmických rozměrů, odpovídajících dětské perspektivě. A nacházela se snad v dědečkově vile ve Veverské Bítýšce, čemuž by odpovídalo, že mezi regály vidím okno do ovocné zahrady, troufal bych si to všechno popsat s minuciózní přesností, a jsem rád, že fluidum té knihovny ještě dnes kdesi žije. Kdyby totiž zůstala v majetku naší rodiny, nepřečkala by pohromy, kterým jsme pak byli vystaveni. Knihovna mých rodičů se nedala co do velikosti s dědečkovou vůbec srovnávat. Navždy mi utkvěla z jiných důvodů. Po otcově emigraci ji totiž prohledávali příslušníci Státní bezpečnosti, jejichž animozita ke knihám byla nápadná. S následky té animozity jsem se pak mohl ještě několikrát setkat. Na konci padesátých let jsem například viděl na nádvoří kteréhosi zámku, snad v Oslavanech, svoz z klášterních knihoven: válel se po zemi v bezútěšných hromadách. Když jsem byl v osmdesátých letech zaměstnán v Krajském středisku státní památkové péče, dostal jsem se do hospodářské části kláštera Porta coeli a tady zas uviděl přísně tajné sklady, kde byly vězněny libri prohibiti, knihy zakázaných autorů. V padesátých a znovu v sedmdesátých a osmdesátých letech se osudy knihoven a knih překvapivě ztotožnily s osudy lidí: také knihy byly izolovány, vězněny a týrány a celé knihovny transportovány do prostor, kde už jen čekaly na svou konečnou likvidaci.

Takto tedy vypadá můj archetyp knihovny. Babylonská knihovna nemá počátku ani konce, je Vesmírem, který nás obklopuje a kde se můžeme ztratit anebo naopak nalézt, a jeho Mléčná dráha unáší historii lidstva jen jako v proudu se otáčející kuřinec. Ale důvěrná podoba, kterou vstupuje do našich životů, je podobenstvím lidského osudu. Je to knihovna, které jsme součástí, i když o tom začasto nevíme.

Zámecké knihovny

Jako památkář jsem se v osmdesátých letech směl zúčastnit několika inventarizací zámeckých knihoven. A už jsem vám řekl, že se pořádaly výhradně jen v zimě, mimo návštěvnickou sezónu? Nuže, pořádaly se v zimě, abychom svým rozloženým krámkem nepřekáželi návštěvníkům. A jestlipak si umíte představit, jakou zimu naakumuluje zámecký objekt, když se mu k tomu poskytne příležitost? Pořád jsme s sebou vláčeli šňůru s teplometem, a přesto jsme byli brzo prokřehlí jako psí víte co.

Ve Vranově nad Dyjí jsme bydleli přímo na zámku, v inspekčním pokoji, ale v Miloticích a Vizovicích jsme se ubytovali v laciných hotýlcích, vstávali se slepicemi a brzo ráno naklusali do zámku, kde jsme napřed chvilečku poseděli s kastelánem (ten vizovický nám povídal o Čubovi a slušovickém jezetdé a milotický zas o dédéráckých filmařích, co natáčeli v zámecké zahradě a strašlivě zdupali záhony), poděkovali za kafe a po naleštěných parketách odbruslili k napěchovaným regálům.

Zlatým písmem (v mé jinak už hodně počmárané a pokaňkané paměti) mám zapsánu inventarizaci knih na milotickém zámku. Tam jsme strávili celých čtrnáct dní brzkého jara, takřka už na dotek návštěvnické sezóny, a baskervillský křik pávů ze zámecké zahrady a hluk (šelestění a pískání) probouzejících se netopýrů nad našimi hlavami (na zámecké půdě) nás věrně provázely ze sálu do sálu. Ve větším sále byly knihy uloženy v dubových regálech sahajících až do stropu. Mirek Janoušek vylezl na žebřík, bral svazek po svazku a četl mi knižní tituly a signatury a já pastelkou odfajfkovával v katalogu, kde už byla barevná houšť fajfek. V menším sále nás knihy čekaly v deseti biedermeierovských skříních. To byla knihovna Karla Serényiho, příslušníka starého maďarského šlechtického rodu, který vlastnil Milotice v čase, kdy se zámek barokně přestavoval. Knihovnu pak zdědila Serényiho dcera Kristina, provdaná za francouzského hraběte. Však taky knihovnu rozšířila o francouzskou bibliotéku z poempírové a romantické doby. Brali jsme do rukou kožené, bohatě zlacené vazby z 18. a 19. století a neodolal jsem pokušení porovnávat je se samizdatovými knihami edice Petlice, Anno Domini 1986, vázanými do podřadné lepenky a množenými na nejtenčím průklepovém papíře.

Na inventarizaci na vizovickém zámku jsem přijel v roce 1987 s doktorkou Marií Vieweghovou, manželkou brněnského psychologa umění. Za čtyři dny strávené ve Vizovicích jsme dosáhli obrovské rutiny v ověřování a dohledávání knih. A v pátek jsme chtěli (nejraději už po polední) odjet zpátky do Brna. A tak jsme brzo ráno vstoupili do posledního sálu. Ale místo vrchovatých regálů nás tam jen tak v koutě čekala hromada brožurek a časopisů. Ihned jsme zjistili, o co jde. Poslední vizovický zámecký pán byl nácek, a tohle tedy po něm zůstalo, když vzal do zaječích. Jen jsme štítivě do brožurek nahlédli (nacističtí pohlaváři drželi v náruči dětičky, kynuli z tribun a přijímali delegace hajlujících umělců) a sbalili krámek a vrátili se do Brna.

A poslední momentka: vranovský zámek, stojím na žebříku u regálu a prohlížím si Sienkiewiczovu knížku s jeho podpisem a věnováním. Polský spisovatel zde pobýval v časech, kdy Vranov patřil hrabatům Mniszkům, a prý zde napsal několik stránek románu Potopa. A odpoledne mi pak kastelán ukázal stolek, u něhož Sienkiewicz seděl, když zde psal Potopu, a taky mosazné plivátko, které prý měl stále u nohou.

Lukovanská knihovna

Lukovany jsou vesnice na poloviční cestě mezi Ivančicemi a Náměští nad Oslavou a jen jedno písmeno a pětadvacet kilometrů vzdušnou čarou je dělí od mnohem známějších Dukovan. Bývaly tam (a snad stále ještě jsou) dvě školy, horní a dolní. Za války jsme bydleli v učitelském bytě v dolní škole, neboť otec v Lukovanech kantořil. Do školního kabinetu jsem to měl jen přes chodbu a jeho součástí byla i školní knihovna. Těžké zasklené skříně plné knih, vázaných ročníků pedagogických a vlastivědných časopisů a literatury, která měla sloužit k sebevzdělávání učitelů. Jako kantorské dítě jsem chtě nechtě uměl číst dříve, než jsem byl školou povinný, ale školní knihovna mě nefascinovala, protože jedinou zajímavou knihou tam byl velký ilustrovaný přírodopis. A v něm jsem se dočetl, že srnec se latinsky poví Capreolus capreolus a sova zas Bubo bubo. To druhé mě nepřekvapilo, vždyť na to bych klidně přišel sám i bez latiny, ale to první mě dost znechutilo. A proto jsem očividně dal přednost otevřené knize přírody, jejíž zelené stránky, povalující se všude kolem Lukovan, byly tenkrát ještě osázeny zvěří jak knižní řádky písmeny. A svůj literární hlad jsem sytil na lukovanských půdách, kde se daly najít odložené sešity rodokapsů a rozruchů. Ale přesto se mi lukovanská knihovna zapsala nesmazatelně do paměti.

Na konci války se kolem Lukovan otáčela fronta a někdy jsme měli pocit, že se nám otáčí přímo na návsi, Kulikům před vraty. Velký školní sklep sloužil jako kryt a stáli jsme tam nacvaknutí jako herynci. A o několik dnů později posloužila zas dolní škola jako lazaret pro zraněné a umírající ruské a rumunské vojáky. (A kdo si teď třeba představuješ M.A.S.H., tak zas hbitě zatáhni svá telemilná tykadla.) Také ze školního kabinetu jsme odnosili všechno na půdu a jen při zdi tam zůstaly těžké skříně s knihami. Dveře otec vysadil, aby nepřekážely přísunu stále nových a nových raněných (a odnášení mrtvých), a všude na zemi se tísnila nosítka, žíněnky, matrace a drátěnky z postelí (však ani jedna postel, ta by zabrala příliš místa) a všechno, co mělo ruce nohy, nepřetržitě něco přinášelo a odnášelo, ve vzduchu stál pach krve, moči, agonie a bolesti, nebyly léky, naprosto nic, nakonec přijel nějaký doktor z Ivančic, ale možná to byl jen sanitář, ve svých pěti letech jsem po celý týden viděl smrt tak zblízka (a v takovém množství) jak šváby běhající po ubruse, a bylo to zlé tak brzy vědět, jak nedůstojně končí člověk, a navždy to poznamenalo mou obraznost.

Okamžitě po válce jsme se z Lukovan vrátili do Brna, to nebylo stěhování, to byl útěk, a nikdy v životě jsem se tam už nepodíval. Ale přesto se mi někdy stane, když uvidím velké zasklené skříně s knihami, že mi k nim jak playbackem naskočí ta daleká vzpomínka a dlouho se mi ji nedaří vypnout. Lukovanská školní knihovna.

Moravskokrumlovská knihovna

Žádnou knihovnu neznám blíže než tu v Moravském Krumlově. V sedmdesátých letech to byla poslední knihovnická štace mé ženy, než ji přeřadili z knihovnictví na převýchovu do textilní fabriky. A v tomtéž čase přišel taky příkaz napytlovat libri prohibiti a odvézt je (rovněž na převýchovu?) do děravé stodoly v obci Stošíkovice, kde ale při nejbližším lijáku vzaly zasvé všechny nežádoucí knihy na Znojemsku. Byla to nejspíš „mokrá varianta" koniášských autodafé. A z těchže sedmdesátých let se mi taky zachoval záznam snu, jehož ponurý děj se podle některých vnějších znaků odehrává v krumlovské knihovně. Zapsal jsem si ho tenkrát dost halabala, takže teď rekonstruuju jen se značnými obtížemi:

Vstupuju do velkého sálu půjčovny a hned je mi jasné, že se tam něco stalo, ale napřed nevím co. Pak si uvědomím, že v regálech chybí police a vlastně tam nejsou ani knihy, nýbrž stojí tam na zadních medvědi, všelijaké kočkovité šelmy, ale i obrovští snad zajíci a neméně velké vydry a ondatry. Ale místo srsti mají stránky knih, jsou to zvířata obrostlá hustými vějíři stránek, a ty se vlní, jak zvířata dýchají. A mezi stránkami knih jim svítí oči a pozorují mě a otáčejí se za mnou, když procházím mezi regály. Vracím se zpátky, a přestože se snažím nedívat, vidím, jak se ta zvířata, zasunutá v regálech, stále po mně ohlížejí. Spěchám z knihovny, sestupuju po nějakém velikém a širokém schodišti, ocitám se na náměstí, lidi se zastavují a hledí a najednou mi dochází, že něco se mnou není v pořádku. Podívám se na své nohy a tu si uvědomím, že došlo k omylu a místo mě odešlo jedno z těch zvířat. Rychle se vracím zpátky, ale už je pozdě, už tam v jednom regále najdu sám sebe, ruce mám složeny na hrudi a zavřené oči. Jdu k sobě blíž a vidím, jak se mi ty oči pomalu otvírají, ale než se otevřou úplně, sen končí a probouzím se. Je 14. května 1976, jak mám poznamenáno na konci záznamu.

V posledních letech se i v Moravském Krumlově leccos změnilo. Na budově, v níž je knihovna, bývalo kdysi jakési socialistické heslo, čitelné z celého náměstí, a v přízemí zas hnízdili ptáci esenbáci. Heslo už někdo sundal a v přízemí místo esenbáků odbočka Komerční banky a náměstí je už Masarykovo a z oken dětského oddělení knihovny už neuvidíte sochu Samopalčíka, protože toho už, milé děti, konečně odnesl čert. Ale přesto zatím žádná idyla, žádná pohádka. Ani v knihovnách na Znojemsku. Ale o tom, děti, zas třeba někdy jindy. Když budete hodné.

O nohách a kolech

Už v klukovských letech mi vrtalo hlavou, jak to že Bůh, o jehož všeumělství jsem nepochyboval, nevynalezl už při stvoření světa kolo a proč vybavil své tvory pouze nohama, místo aby živočišnou říši postavil na mnohem rychlejší a jednodušší kola a kolečka? O něco později mě napadlo, že je to možná problém teologický. Jsme vyhnanci z ráje, ale už za jeho branami náš čekala jakás kompenzace: sex a vynález kola. V přírodě samozřejmě existuje naprosto přirozený pohyb, založený na témž principu. Jeho nepřehlédnutelným reprezentantem je kupříkladu lavina. Ale na lavině co dopravním prostředku sedí spíš čert než anděl. A ďáblův ocas je bicykl, jak připomenul už před mnoha lety básník Pavel Řezníček.

V polovině tohoto století jsem pobýval na prázdninách na faře nepříliš daleko od Plzně. (Tuhle historku jsem si schovával do nějakého dalšího románu, ale nešť.) A každé ráno jsem si svůj pobyt na faře odministrovával. Chodíval jsem s panem farářem (což byl syn dědečkova švagra, čili jakýsi můj vzdálený strýc) do některé z okolních vesnic na ranní mše, na jitřní. Jsem odedávna spíš skřivan než sova, takže mi to nečinilo potíže. Šlapali jsme náramným letním ránem, a když jsem zvedl hlavu, zachytil jsem ještě poslední záblesk hvězd, a když jsem se podíval doleva, uviděl jsem, jak se na louku snáší čáp, a když jsem otočil hlavou doprava, stály tam na kraji lesa srnky a střehly nás, velebníčka s malým klukem, jak si to švihají ke kostelíku, kde už na jejich introibo ad altare Dei čekal hlouček vesničanů.

Ale samozřejmě to tenkrát nebyla žádná idyla. Kněží v tom čase neustále ubývalo (kamsi nezadržitelně mizeli), a tak měl páter Zouhar na starosti čím dál větší duchovní revír a byl pořád na nohách, jako nějaký lékař v kraji zachváceném epidemií. A když se pak večer vracel, byl tak uchozenej, že si musel máčet nohy ve studené a horké vodě. A přitom měl v předsíni velký motocykl, jawu dvěstěpadesátku, kterou mu koupili farníci, aby mohl svou farnost objíždět.

Kristus chodil pěšky, apoštolové chodili pěšky, řádoví bratři chodí pěšky, a tak taky jeden hříšný farář bude dál chodit pěšourem. Motorku prodám a peníze poslouží na opravu zvonice.

A když jsem pak napřesrok znova přijel, motorka už byla v čudu, ale neposloužila na opravu žádné zvonice. Za ty dva roky komunisti rozkulačili, jak tomu drancování říkali, všecky okolní dědiny, a protože jawa byla dar od rozkulačovaných, sebrali ji taky a místní „major Zeman", který ji zrekvíroval, se hned na ní stačil rozsekat namaděru. Netušil chudák, že ďáblovým ocasem může být příležitostně i motocykl.

Jak už je to všechno dávno. Čas smazal ostré kontury a dnes je to nakonec skoro nostalgický obrázek. Taky páter Zouhar si už dávno chodí po nebeských loukách zelených a je pořád dál náruživým chodcem. Ale představuju si, že co mu v poslední době občas stane, že zůstane v údivu stát, když tam najednou potká celý kůr andělů na kolečkách. Že, básníku Miroslave Holube.

179

Insanité a přizpůsobení

Moral insanity je jedním z termínů pro jistý druh psychopatie, charakterizovaný tím, že ochuzuje osobnost o některé důležité lidské komponenty. Řečeno jazykem klinických psychologů, u moral insanity (psychopatie anetické) jde o „jedince nápadné svou citovou a morální tupostí".

Obecně o psychopatiích (všech jejich typech) platí, že nejedná se o duševní chorobu, ale povahovou úchylku, takže psychopati jsou plně odpovědni za své činy a schopni posuzovat je z hlediska právních norem, schopni přizpůsobit se společenskému standardu. O psychopatech typu moral insanity (říkejme jim insanité) pak dále platí, že se mezi nimi mohou velice často objevovat jedinci se zločineckými a násilnickými sklony a projevy, ale že mnohem častěji jsou to lidé, kteří žijí jako všichni ostatní, spořádaně a nenápadně, a jen dobrému pozorovateli neunikne ryzí utilitárnost v jejich lidských vztazích a bezohlednost, s jakou se derou nahoru. Insanité většinou velice bystře vypozorují, čím se liší, a dosti rychle se naučí imitovat to, čeho se jim nedostává: jsou výrazně konformní a nápodobiví. Tak aspoň v solidně fungující demokratické společnosti, ve zdravém společenství, které je většinou drží v přijatelných mezích. Ale protože politika je právě ono specifikum, kde něco obratně předstírat a napodobit je často výhodné a kde nebýt vázán „morálními skrupulemi" se leckdy vyplácí, vyskytují se insanité i v politice, i když, řekl bych, že ne zrovna na nejexponovanějších místech (protože nejsou vůbec schopni politické a sociální empatie, byli by zde přece jenom příliš nápadní). V totalitních společenstvích je ovšem politika monopolem insanitů.

Jestliže dojde k proměně demokratické společnosti v totalitní, a insanité se tak ujmou překotně uvolněných křesel, pak to, co bylo dosud normou a od čeho se lišili, se rychle octne mimo zákon, a většina lidí, vybavená přirozeným smyslem pro přizpůsobení, postupně přijme „morálku" insanitů, přizpůsobí strukturu své osobnosti psychopatické. Je to trapné, leč je to tak: v totalitních společenstvích je většina taková, jako jsou její anetičti psychopaté, jako jsou insanité v čele státu. Čímž se také vysvětluje, že mocenský aparát najde vždy dost spolehlivých slouhů a koncentrační tábory spolehlivý personál. A tak se taky uskutečnila nacifikace německého národa: „státotvorným standardem" se stala moral insanity a lidi se snažili seč byli, aby se přizpůsobili psychopatickým mustrům.

Představme si, že existuje nějaký kulturně vyspělý národ s určitou demokratickou tradicí, jehož správu — k dovršení předchozích katastrof — převezmou insanité a postupně se jim podaří změnit společnost v jakýsi měňavkovitý organismus, v němž citová a morální otupělost, charakteristická pro insanity, pozvolna proniká z politiky i do soukromí a postihne lidské vztahy a soudržnost většiny. Ale představme si dále, že po nekonečně dlouhém čase se situace přece jenom změní natolik, že v totalitním monolitu vzniknou trhliny a přestává působit adaptabilní útlum a lidé se probouzejí z anestetického spánku a moral insanity už není tak očividným standardem. A jak reagují na takovou situaci insanité, kteří si za léta své vlády navykli, že celý národ je „insanitní" a že etika je jen taková etiketa? A jestliže se navíc ještě stane, že nemají z nějakého důvodu možnost opustit své stanovisko, protože by zároveň s ním ztratili i své pozice (jestliže jsou jejich pozice ztotožněny s jejich stanoviskem natolik, že už nemají možnost opustit jedno pro druhé), a jestliže jsou tedy insanité přitlačeni ke zdi, nemůžeme od nich očekávat, že budou jednat jinak než nelidsky.

Přizpůsobení je funkční útlum, stále znovu prokazující, že u většiny lidí je biologické přežití nadřazeno všemu ostatnímu, ale jakmile skončí čas totalitních deprivací, člověk se zas počlověčí, ale insanit zůstane insanitem (a za ten dlouhý čas si odvykl napodobovat a imitovat a přišel o své mimikry). V hluboké noci totalitních společenství je těžké rozlišit, kdo jsou insanité a kdo přizpůsobení. Když pole zaroste koukolem, obilí, aby přežilo, napodobuje koukol? Častokrát teď myslím na ten obdiv, který v sedmdesátých letech drobní insanité mezi námi (drobní dravčíci) sklízeli a vlastně dodnes sklízí. Ani obstojně fungující demokratická společnost nemůže dosti dobře zabránit tomu, aby v ní insanité neparazitili, ale jen v totalitním Kocourkově je parazitění předmětem všeobecného obdivu.

Na konci totalitních společenství lidé zřetelně rozlišují mezi moral insanity vládnoucích politiků a moral insanity drobných dravčíků. Politiky nahoře opovrhují, dravčíky kolem respektují. A bude v tom nejspíš jistá zákonitost: „morálka" insanitů pronikla nejrychleji do politiky a v politice ztratila nejrychleji svůj „kredit". Avšak tam, kam pronikala pomaleji a obtížněji, bude ještě dlouho přetrvávat. Insanitní politici jednou odejdou, ale kus jejich „morálky" zůstane ještě dlouho s námi.

Září 1989

Sci-fi bajka

V létě roku 2008 (kdy se už situace stala neudržitelnou a už se z ní nedalo šikovně vycouvat) požádali zvacím dopisem o intergalaktickou pomoc. Přistálo mračno kosmických lodí nadupaných rosolovitými vetřelci a napřed zblajzli celou mohutnou demonstraci na Václavském náměstí, a umožnili tak, jak upozornil premiér, jeho opětné zprovoznění. Václavské náměstí, pokračoval premiér, je v tom nejlepším slova smyslu pupkem českého světa a také pupek občas potřebuje vydrhnout. Náměstí vévodil v té chvíli chuchvalec rosolu vlající ze sochy knížete. A vetřelci dál postupovali podle předem sestaveného jídelníčku: spořádali novináře, televizní a rozhlasové redaktory, pak přišli na řadu spisovatelé, intelektuálové, výtvarníci, herci, vědečtí pracovníci a představitelé církví a zájmových občanských sdružení. Ale pak už zhltli, na koho narazili. Předseda to komentoval slovy: Chtěli bychom připomenout všem, kteří se s křikem dožadovali integrací do evropských struktur, že evropským strukturám jsou nadřazeny struktury vesmírné, do nichž se teď právě integrujeme, takže opravdu, opravdu nevíme, k čemu zas ten křik. A premiér dodal: Respektuj vesmírné zákony, ať jsi pán nebo kmán, a dobře ti bude na Zemi! Načež se na obrazovce objevil rosolovitý útvar promlouvající jen obtížně přeložitelným jazykem, a když tlumočnice čím dál zmateněji koktala, až ztratila docela nit, byla pozřena a z rosolu vystřelil růžový jazýček olizující zevnitř obrazovku.

Jestliže rosoloviti vetřelci byli napřed jen menšinou, s kterou však nutno počítat, den ode dne jich přibývalo, stejně rychle, jako ubývalo původního obyvatelstva, takže nakonec stali se většinou, jež by našla své zastoupení v poslanecké sněmovně, kdyby něco takového ještě existovalo. Rosol spořádal sněmovnu, stejně jako vyjedl celou českou kotlinu a zůstalo jen cirka osm občanů, z toho čtyři Češi, dva Moravané, dva Romové. A předseda s premiérem. A tehdy vystoupil předseda se zásadním prohlášením, jímž se rozhodně, ale rozhodně distancoval od těch, kteří přivodili tuhle národní, opakuji, národní katastrofu, k níž my jsme vůbec, ale vůbec nezadali podnět, a je dětinské, dětinské nám něco takového přisuzovat. A pak vyzval občany, aby přišli bránit, bránit svého předsedu a premiéra. A pak byl slupnut, slupnut i se svým premiérem.

Když rosol dočista vylízal Česko, utřel si hubu a odtáhl zas na svou planetu. Načež má ten příběh dva konce. Dobrý a špatný.

Takže napřed ten dobrý. Vždycky když barbaři zhltnou nějakou kulturu a civilizaci, zcivilizují se kulturou, kterou pozřeli, a převezmou tak i její dobré podněty. A tak i na planetě rosolovitých vetřelců padl jednoho dne agresivní a diktátorský režim a všechna náměstí se zaplnila rosolem prodchnutým myšlenkami demokracie a svobody.

Ale teď ten špatný konec (který je vlastně vždy jen domyšlením toho dobrého): Rosol na náměstích opadl a ke slovu přišlo duo rosolpředseda s rosolpremiérem.

Leden 2001

184

Ubu sapiens

Fotr Ubu konečně podal demisi a nekonečně se mu ulevilo. Nesmírný blb procházel kvetoucími zahradami a viděl všechno jinýma očima. Tak dlouho jsem vládl téhle zemi – promlouval k letící včelce a přiklekl k běžícímu mravenečkovi – až jsem ji obdivuhodně zpustošil, paradentálně rozložil a laskavě přivedl k morálnímu úpadku. A teď ať v tom někdo úspěšně pokračuje.

Fotr Ubu si dal k snídani vajíčko, jehož vršek odsekl tak, jak odsekával druhdy hlavy nepřátel.

Matko Ubu, naše štěstí je v tom, že slepice nám zůstaly. Vždycky jsem snil o tom, že až jednou budu mít čas, naučím je snášet zlatý vajcata.

Žádná slípka nemůže snášet zlatý vajcata, řekla matka Ubu.

Tak tu se mejlíš, matko Ubu, od toho jsem fotr Ubu, abych to té slepici umožnil.

A pak už trávil dlouhý čas ve společnosti slepic, morduje se s nimi a montuje jim do slepičích prdélek všelijaké trubičky a mechanismy. Jiný čas trávil tím, že k slepicím promlouval, a konečně třetí čas trávil tak, že vedle slepice přičtvernožil a prdě strašlivě díval se poočku, jestli už to zabírá. Všechny slepice pochcípaly kromě jedné. Ta stále hleděla svým parádním slepičím vokem a nic.

Hluboké jsou lány, průzračná jsou pole a kvetoucí jsou řeky: jednoho dne slepice zabrala. Vypadlo z ní vajíčko zlaté jak tvůj úsměv, mamičko, a po chvíli druhé.

Pak už slepice snášela zlatá vajcata, nepříliš často, ale přece jen. Ubuovic z toho slušně vyžili.

Vám samozřejmě vrtá hlavou, jak to že nesmírný blb přinutil slepici snášet zlatá vajíčka. Ale vysvětlení je prosté. To jsem blbovi umožnil já. Může se vám to zdát pošahaný, ale je to tak. Jsa vypravěčem, mohu, co chcu, a tak jsem Ubuovi vyhověl. Chtěl jsem tím vyjádřit své potěšení nad jeho abdikací, nad tím, že šel konečně do kélu. Vždyť je málo takových potěšení, tak hluboce se zakusujících do člověčí duše. Tak proč bych ho za to neodměnil?

Květen 1968

Obsah

Jiří Kratochvil

Brno nostalgické
i ironické

Vydalo nakladatelství Petrov v Brně roku 2001
jako svou 207. publikaci
Odpovědná redaktorka Eva Strnadová
Ilustrace na obálce Pavel Čech
Obálka a grafická úprava Bedřich Vémola
Fotografie na záložce a na frontispisu Ladislav Plch
Sazba z písma Life [Imprimatur]
Tisk Reprocentrum Blansko
Vydání první
190 stran

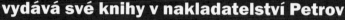